D1075916

WESAK

l'heure de la réconciliation

transmis par
Anne et Daniel Meurois-Givaudan

WESAK

l'heure de la réconciliation

Editions Amrita

DES MÊMES AUTEURS

RÉCITS D'UN VOYAGEUR DE L'ASTRAL

TERRE D'ÉMERAUDE,
Témoignages d'outre-corps

DE MÉMOIRE D'ESSÉNIEN *(tome 1)*,
L'autre visage de Jésus

LE VOYAGE À SHAMBHALLA,
Un pèlerinage vers Soi

LES ROBES DE LUMIERE,
Lecture d'aura et soins par l'Esprit

CHEMINS DE CE TEMPS-LÀ,
De mémoire d'Essénien (tome 2)

PAR L'ESPRIT DU SOLEIL

LES NEUF MARCHES,
Histoire de naître et de renaître

SEREINE LUMIERE,
Florilège de pensées pour le temps présent

Le catalogue des Éditions Amrita est adressé franco sur simple demande

Éditions AMRITA
anciennes éditions Arista
24 580 Plazac-Rouffignac

Tél. : 53 50.79.54 - Fax : 53 50.80.20

Sommaire

A tous ceux qui sont prêts à poser
leur bagages,
A tous ceux qui sont prêts à s'écrire
eux-mêmes,
A tous les Reconstructeurs
Ce livre est dédié…

.. ainsi qu'à Monique et Jean-Louis

Quelques mots-guides

Le témoignage que vous trouverez consigné dans ces pages se passe sans doute de commentaire... Nous tenions néanmoins à l'accompagner de ces quelques mots afin que chacun en suive plus aisément le fil d'Ariane.

Disons tout d'abord, pour davantage de clarté, que nous ne nous sentons pas les auteurs directs des chapitres qui suivent mais simplement les courroies de transmission d'une Force qui nous dépasse... Une Force qui sera sans doute muette à toute lecture étrangère à celle du cœur, une Force aussi parfois dérangeante, mais surtout incroyablement aimante.

Dans tous les cas, les paroles que vous allez découvrir vous ont été rapportées avec la plus grande fidélité possible, sans édulcorant.

Ainsi que pour nos précédents ouvrages elles ne sont aucunement le fruit d'un travail de « channeling », pour employer un terme à la mode, mais d'une faculté de « projection de conscience » dont nous avons déjà longuement parlé.

Quoi qu'il en soit, nous souhaitons à chacun d'y trouver la mœlle qui lui convient. Surtout, nous y espérons, pour tous, autant de points d'eau désaltérants que nous avons éprouvé d'instants de bonheur à vivre l'expérience.

Le Wésak que vous allez découvrir ici n'est peut-être pas conforme à celui que les traditions ont perpétué jusqu'à présent, aussi suscitera-t-il sans doute quelques réactions. Disons-nous bien que la Vie, dans ses innombrables expansions, n'est jamais figée...

En ce qui nous concerne, nous sommes heureux que nous soit ici confiée la tâche de pouvoir offrir de la grande fête du Wésak un visage renouvelé. Quoi de plus beau qu'un horizon plus large que celui auquel nous sommes accoutumés ? Partant de la célébration himalayenne du Wésak, c'est en effet à la découverte des prolongements intérieurs de cette même fête que nous convie l'être dont nous rapportons ici les enseignements.

Dans notre monde déstabilisé nous ressentons l'universalité de cette nouvelle vision comme un instrument concret qui nous est proposé pour le quotidien, un instrument dont le maître-mot est Espoir.

Quant à nous, il nous reste à vous l'offrir simplement ainsi que nous l'avons reçu, c'est-à-dire comme un cadeau inattendu, un pas de plus pour nous réconcilier avec nous-même.

A et D Meurois Givaudan

Anne et Daniel Meurois-Givaudan

Prologue

Un vieillard est assis devant nous, les yeux rivés au creux de notre poitrine. Le triangle dessiné par son corps qui repose en un lotus parfait force le respect. Des cheveux longs, couleur de cendre, une barbe rare, des traits ascétiques et un simple pagne noué autour des reins, voilà les seuls éléments que nous pouvons encore capter de sa présence. Qui est-il ? Nous n'en avons aucune idée. Cela importe-t-il vraiment d'ailleurs ? Sitôt la question surgie, comme un réflexe issu de nos civilisations étiqueteuses, elle s'enfuit à tire-d'ailes. Alors, nous continuons d'observer, simplement, lentement, peut-être pour ralentir la course de nos raisonnements d'occidentaux, peut-être parce que la paix de l'atmosphère nous y pousse...

Nous sommes dans une grotte, à quelques pas seulement de son entrée où un rayon de lumière froide vient frapper le sol, pour ensuite se faufiler entre les inégalités de la roche grise. Tout ici est parfaitement nu, magnifiquement nu faudrait-il, dire car le moindre relief des parois se suffit à lui-même comme si sa forme, ses arêtes, étaient régies par la logique élémentaire de la vie. Dans un coin pourtant, presque adossés à une grosse pierre, un bol en bois et une cruche témoignent de la présence humaine que nos yeux découvrent à nouveau. Cette fois, le vieil homme a levé les yeux et nous le rencontrons réellement.

Nous sonde-t-il ? Non. Bien que son regard soit de braise et semblable à ceux que seules des années de privations peuvent forger, il ne dit rien, ne demande rien... et surtout ne juge pas. Il se contente simplement d'être et nous ne savons y répondre que par un sourire sans doute malhabile.

« Bien... fait enfin le vieillard dont nous n'avons pas vu remuer les lèvres,... vous voici donc, asseyez-vous comme il vous plaît et ne soyez pas surpris d'être ici. C'est moi qui vous y ai appelés. Si vos corps subtils ont atteint un certain état de malléabilité, c'est évidemment pour poursuivre une tâche. Voilà pourquoi je vous ai suggéré d'abandonner une fois de plus, l'espace de quelques heures, vos enveloppes physiques. Voilà pourquoi, aussi, la partie de moi qui converse avec vous en cet instant, n'est pas non plus matérielle. Etes-vous prêts à ce que nous marchions un peu ensemble dans l'espace de notre cœur ? »

« Nous le sommes... mais en avons-nous vraiment le choix ? Si tu nous as appelés c'est qu'il nous faut adjoindre une page de plus à ce qui a déjà été dit ou écrit. Tous les livres que la Terre a portés jusqu'à ce jour n'ont-ils pas déjà révélé la totalité de ce que l'âme humaine devait ou pouvait savoir ? Faut-il vraiment y ajouter encore quelque chose ? »

« Il n'y a rien de plus à y ajouter. Il faut seulement traduire ce qui a été communiqué avec d'autres mots, traduire une fois encore pour simplifier, pour actualiser, traduire afin de faire s'exprimer ce qui est amour. Pour ce qui est du choix... vous l'avez. C'est votre monde qui n'en dispose plus s'il désire vivre.

Ainsi, je vous propose trois rencontres en ce lieu... »

« Ici ? »

« Ici... c'est à dire quelque part dans les Himalayas ou plutôt dans cette grotte où une partie de mon être réside. »

« Faut-il que la Lumière vienne toujours de l'Asie ? L'Occident est-il à ce point essoufflé pour que nos consciences viennent puiser sa nourriture sur ton continent ? »

« Les propos que vous recueillerez ne viendront de nulle part ailleurs que de cette Asie qui se cache dans chaque cœur humain. On ne pénètre pas en elle comme en un lieu à conquérir. On s'y fond car elle est un état d'être.

L'Asie dont je vous parle et d'où je vous parle est le joyau que tout homme a laissé ternir en lui et qu'il faut réactiver avant que la catastrophe ne se produise, avant que d'autres Himalayas n'achèvent leur pétrification. »

Le vieil homme a prononcé ces mots sans sourciller, comme s'il s'agissait d'une chose entendue, évidente.

« La catastrophe ? »

« Notre souci n'est pas réellement celui d'une catastrophe physique mais bien plutôt celui d'une catastrophe spirituelle. Oh, je sais ! Spirituelle ! Un mot encore qui fait peur, un mot qui blesse les oreilles occidentales. Voulez-vous en inventer un autre ? Il s'en trouvera pour l'enlaidir. Alors, remplacez la conscience spirituelle par l'amour... Mais ce sera sans doute encore trop. Parlons donc de tendresse, de bonheur, de Vie, car il ne s'agit de rien d'autre que de cela. Je n'ai pas d'autres legs à déposer sous votre plume.

En ce lieu qui ressemble à une matrice, là où la Terre épouse aisément le Ciel, je veux seulement vous parler d'union. Celle du Levant et du Couchant, du naître et du mourir, du feu et de l'eau, de la sagesse et de l'amour.

Cette union-là, c'est le soleil au zénith, c'est le Wésak intérieur à chaque homme ! »

Le Wésak ! Ce mot est venu résonner en nous comme sur la membrane d'un tambour. De quel étrange poids est-il chargé et de quelle clarté vient-il d'inonder les entrailles de la grotte ? Il évoque le souvenir de rares lectures et le mystère d'une cérémonie dont on sait si peu de choses...

« Regardez plutôt au dehors, reprend aussitôt le vieil ascète. Nous sommes en Mai, l'auriez-vous oublié ? »

Mus par une extraordinaire énergie, nos corps sont alors propulsés dans le boyau étroit qui mène jusqu'à l'entrée de la grotte. Là, c'est l'émerveillement total... Des rubans de pics enneigés à perte de vue, un air si vif et une clarté tellement immaculée que cela nous semble presque trop. Bien qu'en cet instant nous habitions nos corps de lumière, les forces vitales de la montagne sont si puissantes que nous croyons presque ressentir la morsure du vent et la brûlure du soleil.

Sous nos pieds, c'est un à pic vertigineux, une paroi si tourmentée qu'elle en devient un défi à toute escalade. Plus bas encore mais à main droite, se dessine une vallée rocailleuse où quelque chose s'agite, une présence indéfinissable qui paraît par moments se confondre avec la nature elle-même.

« Approchez-vous, suggère bientôt d'une voix ferme le vieillard que nous savons toujours assis à la même place, imperturbable. Approchez-vous encore... »

Pénétré par une absolue confiance, notre regard plonge alors vers la vallée si vivante, emmenant avec lui notre conscience qui se déploie plus encore. Un éclair... et tout s'accomplit...

Nous sommes au cœur d'une petite caravane de yaks qui marchent d'un pas pesant. Les animaux sont chargés de fardeaux multicolores souillés par la poussière du sol et soufflent bruyamment en balançant la tête. A leur côté, des hommes, pauvres pour la plupart, marchent aussi, le visage parcheminé et dévoré par l'âpreté du climat.

Où vont-ils ?

« Ils s'en reviennent... affirme une voix au fond de nous. Ils s'en reviennent de là ! »

Instantanément, nos regards se sont élevés pour découvrir un point au bout de la vallée, un point précis qui évoque un mât et sa bannière claquant au vent.

« Tarboche ! La bannière du Wésak, poursuit la voix. Elle est dressée là, chaque année, ainsi que vous le savez, à la même lune... ou presque. »

« Presque ? »

« Nous y reviendrons... Voyez ces hommes, la plupart sont de simples villageois descendus de leurs montagnes, les autres, des moines ou des dignitaires de lamaseries parfois fort lointaines. Nombreux sont ceux qui ont dormi ici, dressant leurs tentes de peaux à l'abri des rochers. Parmi eux, il est quelques curieux et quelques routiniers que seule l'habitude motive. Néanmoins la majorité de ces hommes est habitée par une véritable ferveur et la conscience d'accomplir un acte sacré... la conscience du Wésak... celle qu'il faut maintenant communiquer à l'humanité tout entière. »

Au plus profond de nous, la voix s'est tue, nous laissant seuls avec nos questions qui tournoient mais aussi avec cette paix, cette certitude intérieure qui dissout les questions sitôt qu'elles s'éloignent du cœur.

Cependant, sur le sol rocailleux de la vallée où s'étirent encore quelques langues de neige, les hommes continuent de défiler, secrets, derrière leurs yeux enfouis au plus profond de leur visage. Ici, l'oreille ne peut recueillir que le bruit des pas qui traînent, le crissement des moulins à prières et le bourdonnement sourd des mantras qui s'effiloche dans le vent. Çà et là apparaît un petit groupe emmitouflé, assis sur le sol d'un campement succinct et qui semble vouloir s'attarder encore un peu. Singulièrement, deux visages occidentaux passent non loin de nous. Ce sont ceux d'un homme et d'une femme munis d'un impressionnant sac à dos et d'un appareil photographique. Chacun d'eux, d'une main, égrène un mala. Nous aimerions approcher du mât dont l'éclatante bannière se détache des parois montagneuses arides. Nous aimerions aussi approcher de grosses roches plates et une multitude de petits drapeaux multicolores desquels un flot d'énergie semble s'élever vers le ciel, mais sans doute doit-il en être autrement... Une force nous aspire et c'est à nouveau la nudité de la grotte qui s'impose à nos consciences.

Le vieillard est toujours là, assis dans la même position. Pour la première fois, nous remarquons que son corps repose sur une peau d'animal puis, que son être entier est recouvert de cendres. Comme deux faisceaux, ses yeux cherchent et rencontrent immédiatement les nôtres.

« Quelle était cette question qui tournoyait en vous ? » veulent-ils dire...

L'interrogation jaillit de nous, sereine mais difficile à contenir.

« Dis-nous, qu'est-ce au juste que le Wésak et pourquoi faut-il en communiquer maintenant la force à l'humanité entière ? »

« Le Wésak, je vous l'ai dit, c'est l'union de deux Frères, la communion de deux faisceaux d'infinie Lumière que sont le Bouddha et le Christ. Voyez-vous, initialement et traditionnellement la cérémonie du Wésak commémore la venue au monde, l'Illumination puis le départ du Bouddha. En réalité, c'est bien plus que cela, elle signifie la transmission, le renouvellement d'un souffle de Vie qui permet aux hommes de mûrir.

Le jour même du Wésak, celui qui s'annonce par la lune pleine, l'Eveillé recueille à la source de l'Univers des univers la Force d'éclosion dont les hommes ont tellement soif. Il la remet au cœur du Christ qui lui-même instantanément l'insuffle à la surface de ce monde. Ainsi, chaque année davantage, l'Amour uni à la Sagesse sont-ils proposés aux humains. Ils représentent le seul et unique moteur à la résolution de toutes les tensions, c'est-à-dire, comprenez-le, à la propulsion de la Conscience sur ses propres et infinies hauteurs.

Regardez bien le bleu du ciel qui jaillit entre les parois rocheuses de ce refuge. Il est chargé des grains de vie les plus puissants qui se puissent concevoir sur cette Terre de matière. Ils dansent et clament la joie du renouvellement offert par Shiva. »

Shiva... Ce nom suscite en nous un nouvel étonnement tant il véhicule les effluves d'un parfum différent encore. Celui de l'Hindouisme, parfois si déroutant.

Le vieillard, nous l'avons bien vu, l'a lancé dans notre direction d'un œil pétillant et malicieux, comme pour provoquer la réflexion au-delà de l'interrogation. Sa main droite va alors lentement se poser sur son cœur ; puis il reprend :

« Shiva... Il réside non loin d'ici... Il est le Kailash lui-même, cette cime si blanche, si généreuse que vous n'avez pas manqué d'apercevoir au dehors. Je sais... On sourit aussi de cela chez vous !

Peut-on comprendre que Shiva est un champ d'énergie, une force cosmique qui adombre de temps à autre un être, un lieu, jusqu'à laisser ponctuellement des traces dans l'Histoire ? »

« Nous parleras-tu alors du Christ et du Bouddha comme d'autres champs d'énergie ? »

« Je vous en parlerai ainsi car ils sont avant tout des constituants du grand moteur universel que vous appelez Divinité. Ils sont des rayons de Conscience totale bien que polarisée. Ils sont enfin des Forces prêtes, selon les cycles, à investir des corps qui les attendent, qui les appellent et qui s'identifient à elles jusqu'à la plus infime de leurs cellules.

Ainsi vous parlerai-je plus de ces Principes que de leurs manifestations historiques... car, n'en doutez pas, amis, c'est par ces Principes et avec leurs champs de force que l'humanité des trois décennies qui viennent doit entrer en métamorphose.

Voilà l'Issue, la seule, ajoute enfin le vieillard couvert de cendres qui paraît plonger au dedans de lui-même. Ne vous y trompez pas pourtant, poursuit-il, d'une voix qui prend d'étranges accents de jeunesse et de feu, il n'y a pas d'ultimatum qui soit posé par l'Onde de Vie. Il y en a juste un que les hommes ont bâti millénaires après millénaires pour enfin se l'adresser à eux mêmes. Celui-là est une auto-sanction.

Hier, en fin de journée, alors que Tarboche était dressée dans la vallée et commençait à être fouettée par le vent, il y avait de par le monde un peu plus d'humains que par le passé pour comprendre la signification profonde et urgente de son appel. Alors, à votre tour, dites bien que le

Wésak n'est plus une fête parmi les fêtes, ni une cérémonie rituellique parmi cent autres. Le Wésak devient une chance, une proposition d'action faite à chacun sur cette Terre. Il est l'instant sacré qui est désormais offert à tous, pour canaliser l'Amour-Sagesse. Il est la première fête active, en faisant du peuple humain conscient un élément de transmission du Divin.

Oh, oui, je vous l'annonce, ce qui se passe au dehors, parmi les pierres rouges de cette vallée et au-delà de ce cortège coloré qui hier s'en éloignait magnifiquement[1] n'est rien, comparé à ce qui doit dorénavant se produire à cette date dans le cœur de chaque homme lucide. Ce n'en est plus que la réduction, la commémoration symbolique.

Le message du Wésak est un message de réforme, un message qui clame la fin des temps où l'être humain dans sa globalité ne faisait que recevoir passivement et ne pouvait que reproduire des rituels. Depuis dix années déjà, le mécanisme du simple souvenir et de l'imitation s'estompe. Il s'efface afin que s'ouvre l'ère de l'action puis de l'Etre.

Un nombre croissant d'hommes et de femmes tourneront leurs yeux puis souhaiteront diriger leurs pas vers cette vallée, mais ils n'y trouveront bientôt plus que des gestes. Le véritable Wésak, ne craignez pas de le dire, se déplace et sera maintenant un événement simultané dans le cœur de chacun où qu'il soit.

Il est douceur mais aussi rayon qui ébranle car par lui exploseront les coquilles de l'ego.

Etes-vous prêts à traduire cela ? N'en avez-vous pas peur ? Alors, posez-vous là, en votre âme et écoutez... »

---

1 - Allusion probable à la procession traditionnelle qui a lieu après la levée du mât.

Chapitre premier

« Le monde est en vous »

Amis, je veux parcourir avec vous le chemin de l'humanité, je veux escalader l'échelle de son échine et fouiller chacun de ses organes... Tout cela pour cueillir une fleur, une seule. Une fleur que d'un commun accord nous allons baptiser « Réconciliation ». Oui, vous m'avez bien entendu, « d'un commun accord », car à aucun instant je ne chercherai à vous gorger de vérités toutes faites et à aucun instant je ne serai le maître tentant de s'immiscer dans la conscience du disciple. Je serai vous-même, tel qu'un jour – quand vous le voudrez – vous serez capables de venir vous parler. En cela mon identité n'a pas d'importance puisqu'elle n'est qu'une des déclinaisons de la vôtre. Ainsi, ce n'est autre qu'un aspect de vous, encore jeune de quelques milliards d'années qui, dans votre être présent va venir réveiller une mémoire, en dévoiler les strates et en secouer les tiroirs gigognes.

Paroles que tout cela ? Il ne tient qu'à vous que les mots soient dépassés. Si vous ne voyez en eux que le vêtement, assurément, ils s'évanouiront bientôt en fumée. Ainsi, ma volonté n'est-elle pas de demander à chacun de ceux qui les recueilleront de faire figure de simples réceptacles car une coupe qui ne se contente que de recevoir ne sera jamais que la moitié d'elle-même. Ma volonté est que vous soyez ébranlés, peut-être choqués, afin que vos fausses certitudes s'effritent et que rien ne soit reconstruit sur des bases incertaines. Ce sont les colonnes de tous les temples qu'il m'appartient de secouer devant vous et en vous, pour que renaisse le seul édifice ayant sa raison d'être : l'Humain tel qu'en lui-même, c'est-à-dire vous tous, individuellement et globalement, tels que vous n'osez plus même vous espérer.

Savoir occulte ? Connaissances aux profondeurs ésotériques ? Rien de tout cela. Mes mots ont la couleur de chacun de vous parce que votre route quotidienne ne se satisfait plus de grandes phrases ni de beaux rituels à travers lesquels s'immobilise toujours, jusqu'à pétrification, la même couche de poussière.

J'ai parlé d'ébranlement et de choc, mais ceux-ci ne seront pas le fait d'une guerre. Je ne prétends dresser aucun étendard car, en vous comme en moi, ne doivent pas s'affronter ombre et lumière. Il m'appartient simplement de raviver en votre poitrine la vision puis la maîtrise du Trait d'Union.

Un tel Trait se nomme « redécouverte de la carte de votre être ». Il s'adresse à la manifestation réduite de votre Vie et à sa Réalité suprême, mais aussi à vous en tant qu'individu-cellule dans le grand corps de l'Humanité.

L'estomac, le savez-vous, n'est pas simplement une poche qui se cache parmi les viscères et qui aime s'emplir. Votre estomac ce peut être vous dans votre totalité, vous avec votre réflexe de faire vôtre tout ce qui se présente. Ce peut être vous dans votre globalité incarnée, dès l'instant où vous ne savez que prendre sans volonté réelle de *vous* prendre à la racine et de *vous* purger de votre torpeur.

Faites savoir ceci : Si votre confort moral s'accommode de quelques concepts philosophiques propres à engourdir la conscience, si quelques livres, deux ou trois jeûnes, de grandes méditations et l'enseignement d'une Ecole vous ont gratifiés du titre d'initié auquel vous vous accrochez, alors n'hésitez pas, abandonnez le livre dans lequel mes paroles seront consignées. Il ne vous concerne pas. Il ne peut parler qu'à ceux qui ont décidé non seulement d'écouter mais aussi d'agir. Il n'acceptera pas seulement d'être feuilleté car sa destination est d'embraser, certes pas de flatter.

Sachez-le immédiatement, le Trait d'Union, la Réconciliation que les Temps vous proposent aujourd'hui, ne se satisfont pas de « mais » ni de pointillés. Ils réclament votre investissement total car le monde n'en peut plus d'hésiter et de retoucher sans cesse, douloureusement, ses propres brouillons.

Le monde, ne vous y trompez pas, ne se cache pas derrière « les autres ». Il est à la fois en vous et autour de vous. N'espérez pas qu'il se transmute sans que vous y laissiez quelque chose de votre force, de votre amour. Nul ne reçoit s'il n'a donné car cette Energie qui génère le don est la même par laquelle la Vie circule. Laissez-moi donc vous parcourir des pieds à la tête car c'est du royaume de glaise jusqu'à la couronne céleste qu'il faut tout laver en chacun.

Voulez-vous me suivre ? Alors, il importe déjà que vous acceptiez de tout reconsidérer. J'ai bien dit *tout*, même ce qui pour vous paraît une certitude, une évidence. Je veux signifier par ces mots qu'il est dorénavant capital que vous éprouviez vous-même un certain nombre de réalités car le bonheur auquel vous aspirez ne peut se gagner par procuration.

En cela, il faut que vous finissiez une bonne fois pour toutes d'être troubles avec vous-mêmes. Le reste suivra aussi sûrement que le soleil poursuit sa course.

Ainsi, ne le niez pas, vous croyez en la survivance de l'âme… et vous craignez la mort ; vous acceptez l'idée qu'il ne saurait y avoir de hasard… et vous vous rebellez contre ce qui vous échappe à chaque heure de vie écoulée ; vous admettez la vanité des titres, la valeur illusoire de l'argent et de toutes vos possessions… mais vous vous y accrochez comme à une bouée sur un océan déchaîné.

Seulement voilà, amis, cet océan déchaîné ne ressemble ni au monde ni à l'univers. Il a votre visage, tout simplement ; il est le regard que vous portez sur chaque être et sur chaque « chose ».

A moins… à moins que vous ne croyiez pas réellement à tout ce que je viens d'énumérer. Peut-être d'ailleurs avez-vous raison en cela. La force des mots imprimés ou des paroles entendues n'est jamais que celle d'autrui. Elle distille une croyance, pas une certitude.

L'office dominical ou la réunion hebdomadaire apaisent en surface les remous de vos consciences. Ils satisfont l'apparence. Je n'affirme aucunement qu'ils soient inutiles, au contraire, car ils peuvent servir de gymnastique à l'âme, empêchant ainsi qu'une certaine rouille ne s'y dépose.

Pourtant, reconnaissez que ce sont toujours les mêmes muscles subtils, les mêmes mécanismes qui fonctionnent en vous. Ils portent avec eux une graine d'inachevé parce qu'ils savent mais ne connaissent pas. Voyez-vous en quoi réside la différence ? Alors, ne collectez plus, n'étiquetez plus, je dirais presque n'apprenez plus. Connaissez, comprenez, en un mot vivez !

Comment ? En acceptant sans détour, sans hypocrisie, d'aller jusqu'au bout, au bout de la réflexion, de la prière, de l'action, de la remise en cause... c'est-à-dire en plein cœur de l'Amour. Vous n'avez plus le droit de hausser les épaules. Ce n'est pas si complexe. Il vous faut simplement de l'honnêteté et une décision. Peut-être ne vous en croyez-vous pas capables. Assurément, vous avez tort car, s'il vous est donné d'entendre de telles paroles aujourd'hui, c'est que l'humanité reçoit une force, à son insu, capable de la débarrasser de ses anciennes chaînes, si elle le veut... si chacun de vous accepte de se visiter de la cave au grenier, des fondations à l'antenne.

La proposition du Wésak passe par ce chemin d'intégrité et d'offrande. Sa volonté de réforme et son amour sont contagieux, appelez-les à vous en conscience avant que leur vague déferlante ne vous submerge et ne vous déstabilise.

La lumière qui me pousse à vous annoncer ceci n'attend pas simplement un vague acquiescement mais une prise de position claire et définitive. Cela vous effraie ? Je vous réponds « tant mieux », c'est que les écailles qui vous recouvrent ne sont plus aussi sûres d'elles.

Prenez donc un stylo et rédigez. Rédigez, comme votre cœur vous le dicte, votre engagement envers vous-même et envers l'humanité. Adoptez les mots et les phrases qui murmurent en vous, même malhabiles ; laissez-les ondoyer sous votre plume. Ainsi, ils seront plus vivants que vous ne le pensez. Ils seront votre moteur, un peu de l'étincelle de Vie qui, sous vos doigts, a déjà pris forme. Est-ce fait ? N'oubliez pas de signer, il ne faut pas échapper à soi-même... Maintenant, pliez votre feuille en huit parties, symbole d'infini, déposez-la et offrez-la au monde en un lieu qui vous est cher, connu de vous seul. Ce sera votre ancrage, votre point de ressourcement pour les jours où vous vous imaginerez encore aller à la dérive, ballottés par émotions et questionnements. Le vieillard que je parais être n'attend pas de vous la simple mise en application d'une petite technique aux accents enfantins. La technique se dissout derrière le bon sens et le souffle dont chacun est capable. Le secret de ce point de départ réside dans l'amour qu'il vous faut retrouver envers vous-même. L'autodestruction, avouez-le, a souvent été votre pain quotidien et le témoin de la plupart de vos actes. Pourquoi donc ? Quel est le mensonge que vous ne parvenez plus à supporter ? Pouvez-vous au moins le nommer ? Pourquoi un tel mal de vivre ? Face aux adversités de l'existence, mes amis, sachez que nul ne souffre s'il n'a pas déjà en lui, pointant le bout de ses rayons, la Flamme de toute Lumière. Baptisez-la du nom qui vous plaît, cette Flamme, ce n'est guère qu'une question de forme, de culture. Cela ne concerne que vous et le problème ne se situe pas à ce niveau. Le mal-être est le signe qu'une Présence est bien là et attend que vous lui permettiez de s'exprimer. Le mal d'être signifie que vous connaissez « quelque chose d'autre », que vous l'avez déjà pénétré de toute éternité et que vous en cherchez à nouveau le chemin. Une telle connaissance se place au-delà des religions, au-delà même de ce qu'on appelle l'athéïsme et qui n'est rien d'autre qu'une remise en question louable à travers un système de logique qui ne va pas au bout de lui-même.

Le premier vœu que je vous demande maintenant et qui est la conséquence directe de cette charte que vous venez d'adresser à votre être profond et au monde est le vœu de Réconciliation avec vous-même. De lui, dépend toute la suite de votre Retour. Il doit venir d'une impulsion semblable à celle du musicien qui sent poindre en lui, face à son instrument, les premiers accords d'une superbe mélodie. N'attendez pas d'être prêts pour le formuler, ce vœu. Je vous le dis, votre attente risquerait d'être bien longue, beaucoup plus que vous ne le supposez. Vous vous trouveriez mille excuses, purs reflets d'un orgueil passé de mode ou d'une paresse qui accentueraient votre mal de vivre.

Permettez-moi de vous poser la question suivante : N'êtes-vous pas *aimable* au sens premier du mot ? Qu'y a-t-il en vous qui, vous semble-t-il, ne vous rend pas digne de votre propre respect ? Car c'est d'abord de respect dont il s'agit. On ne peut aimer ce que l'on ne respecte pas, on ne parvient pas même à lui tendre réellement la main.

Dans un premier temps, il ne vous est pourtant demandé que cela, de vous tendre la main, de vous donner une chance, celle de faire croître ce qu'il y a de lumineux en vous. Vous dites ne pas croire en l'existence de ce point de clarté ? Peut-être, mais vous en avez au moins l'espoir... faute de quoi vous ne m'écouteriez plus depuis longtemps.

Alors, si vous ne respectez pas l'apparence que la Vie vous a donnée dans cette existence, si vous ne respectez pas non plus la place qui vous a été octroyée – la plupart du temps d'ailleurs avec votre assentiment – respectez au moins la Force qui s'exprime à travers votre être. C'est elle que vous devez honorer avant tout parce qu'elle représente bien plus la réalité de ce que vous êtes que tout l'attirail qui fait de vous un individu dans la société humaine.

C'est donc à votre Essence que vous devez dorénavant vous adresser. Ne l'appelez pas du nom de Dieu car ce que vous imaginez de Lui, si toutefois Il reste pour vous une réalité, est encore trop extérieur à vous-même. Il ressemble trop à une espérance fugitive, à une projection vers le futur. Votre tâche est au contraire de vous centrer sur le Présent, sur le Souffle qui, malgré tout, vous anime. Ce Souffle n'a rien à voir avec votre visage dubitatif de chaque matin, ni avec vos pulsions, vos colères, vos fanfaronnades, vos mensonges, vos lassitudes et que sais-je d'autre...

Tout cela, mes amis, je l'appelle la surface. La Réconciliation débute par le fait d'accepter une telle évidence... ou, si ce n'en est pas une pour vous, d'accepter de courir le risque que cela en soit bel et bien une ! Elle continue ensuite par la décision de ne plus s'identifier à un esquif chahuté par les courants mais plutôt à un poisson plongeant vers les profondeurs. Ce terme vous surprend, vous qui aspirez surtout à certaines cimes... Et pourtant, je vous l'ai dit, c'est vers vos propres fonds, vos fondations, vos racines que vous devez d'abord accepter de regarder. Commenceriez-vous l'édification d'une cathédrale par sa flêche ?

Ne croyez pas que je vous propose ici ce que votre monde appelle une psychothérapie, ni même un cours sur les forces primordiales qui sont à la base de l'être humain. Je ne rejette rien de tout cela mais je vous suggère quelque chose de beaucoup plus simple, une réimplantation dans la Terre et une redécouverte de la Terre en vous. Il est d'ailleurs étrange, reconnaissez-le, que l'homme et la femme soient devenus si pesants tandis qu'ils ont tant oublié la Terre.

Comprenez-moi bien, je n'évoque pas seulement cette planète Terre sur laquelle chacun marche, mais la Terre en tant que Principe, que Force et que Matériau. Elle est bien sûr sous la plante de vos pieds, cette Terre mais elle emplit aussi votre estomac et devient même la totalité de vos intestins. A la fois contenant et contenu, elle digère et recycle, recueille, génère et redistribue. Vous connaissez son visage et son action chimique mais vous ignorez totalement ce qui se dissimule en elle, à quel point elle vit en vous et comme il est nécessaire de la retrouver pour se retrouver. La Terre est encore trop souvent ce qui paraît vil et peu digne d'intérêt pour qui cherche à s'élever. Dans son rejet, se manifeste votre peur de naître et d'affronter l'existence, vous voyez même parfois en elle une véritable punition.

Je vous offre donc un dialogue avec les forces de la Terre en vous, avec ce que vous supposez être bas et lourd et qui peut s'étendre à votre corps tout entier. Ce dialogue vous est indispensable si vous voulez totalement découvrir et non pas survoler le « mode d'emploi » de soi. Si la notion de Dieu vous est familière, vous pouvez associer la Terre, jusqu'à la base même de votre être, à son aspect maternel. En ce sens, elle reste la matrice, le ventre dont vous êtes issus.

« Ce sont des symboles, me répondrez-vous, les livres de philosophie en regorgent. »

Sans doute ! Aussi ne vous demanderai-je pas de demeurer à ce niveau, en le pétrissant par le biais de votre intellect. Tant que l'on se tient au monde de la dissection, on se montre incapable de l'acte d'amour. Ainsi donc, commencez par postuler que ce que l'on peut concevoir de la Divinité réside tout autant sous la plante de vos pieds et au creux de votre chair que dans l'immensité invisible de l'azur. Cela ne mérite-t-il pas une autre attitude que celle que vous adoptez quotidiennement ? Cela n'engendre-t-il pas un autre regard sur les mille petites choses que vous qualifiez de banales ? Quel est le fait qui peut d'ailleurs être banal dès lors que l'essence de la Vie le pénètre ?

Par ces termes, je veux vous signifier que votre engagement de Réconciliation présuppose que vous reconnaissiez la présence du Sacré en toute chose. Je sais, là aussi je vous devine souriants... Je sais que le Sacré suggère à vos yeux l'artifice des rituels, les dogmes nourris d'interdictions, d'obligations, de sanctions.

« On s'incline, on s'annihile devant le Sacré, on le craint. Quant au profane, il n'est pas digne d'intérêt... mais nous y baignons et... chacun pour soi ! » De tels discours sont encore lisibles en filigrane dans vos sociétés et ce sont de semblables arguments, véritables professions de foi, qui vous ont minés jusqu'à en oublier l'émerveillement de vivre. Voilà ce que le non-amour, la non-reconnaissance de la Terre divine ou si vous préférez de la Terre consciente et vivante ont imprimé un peu plus en vous : la séparation, l'alimentation incessante de la dualité.

Il suffit maintenant ! Et si le Sacré n'était pas ce que l'on vous en avait dit... ! S'il ne se déployait pas qu'au cœur d'une église, d'un temple ou d'une mosquée ! S'il ne se pénétrait pas que par la main qui plonge dans le bénitier ou par le miracle espéré de la prière ? Certains l'apprivoiseront certes dans la solitude d'une forêt, sur les pentes d'une montagne ou encore dans le secret d'une pièce nue, mais combien songent à le découvrir ailleurs, là où il fait apparemment et poisseusement noir, là où vous jugeriez enfin que l'obscurité s'acharne à tout étouffer.

Le Sacré dont je vous parle et qui vous attend afin de vous régénérer, vous pouvez le découvrir à chaque instant de chaque jour. Il dépend de la conscience avec laquelle vous allez accomplir vos actes familiers.

Je vous pose précisément cette question : avec quel type de regard abordez-vous les gestes simples de votre existence ? Avec inconscience, avec révolte, avec avidité, peut-être avec ennui ou même aussi avec d'autres moteurs plus ou moins avoués, convenez-en. Parmi tout cela, quelle place accordez-vous à la joie ? Cette joie dont il est ici question n'est pas celle qui s'organise à l'occasion d'une fête. Elle est une énergie douce et pourtant régénérante qui réside au cœur de chaque instant présent et qu'il vous appartient désormais d'assimiler. Au fond de l'apparente monotonie du quotidien terrestre comme sur la crête de ses obstacles parfois lancinants, il y a une vérité que la vie a murmurée pendant des millénaires et que dorénavant elle hurle : l'embûche, la lassitude ne viennent jamais vers les hommes, ce sont les hommes qui vont vers elles et leur ouvrent le portail de leur propre demeure. Ils les accueillent en banalisant tout, jusqu'à leur présence sur cette Terre. Et pourtant, s'ils savaient à quel point leurs actions et les situations qu'ils vivent, même les plus modestes peuvent manifester une réelle valeur !

Le sol que vous foulez vous semble anodin, sans intérêt particulier, tant et si bien que vous ne vous êtes jamais penchés sur sa composition… et pourtant ! Pourtant, c'est lui qui saura recevoir une graine et lui donner l'énergie pour germer. L'image est usée, j'en conviens, mais tellement juste aussi ! Ainsi, le stylo avec lequel vous complétez peut-être des formulaires à longueur de jour, les écrous que vous serrez du matin au soir ou encore le balai que vous poussez avec lassitude, sont-ils la Terre elle-même qui a entrepris de vous faire éclore... La Terre qui a revêtu des habits différents dont chacun vous suggère à sa façon, une qualité spécifique à développer. Laquelle ? La découvrir, c'est votre travail.

A un même labeur, à un même instrument peuvent correspondre mille fonctions d'éclosion, selon la nature et les besoins de celui qui se trouve face à eux.

Je vous propose donc de poser chaque matin un regard neuf et étonné sur les choses, les situations et les êtres que vous allez rencontrer. Il suffit de le vouloir et de se tenir à sa promesse. Vous craignez de l'oublier... ? Si cela arrive c'est peut-être parce que vous n'en avez pas encore assez de ne plus parvenir à respirer. Seuls les plongeurs en apnée connaissent vraiment la valeur de l'air. Ils en recueillent le parfum. Je vous suggère, quant à moi, de ne pas attendre l'étouffement. La souffrance, mes amis, mes frères qui vous sentez encore étrangers à la Force qui m'habite et qui est cependant également vôtre, la souffrance n'est pas une obligation sur le chemin de la redécouverte de Soi. Il n'y a pas de péage incontournable ni de tribut à verser à quelque force que ce soit !

En fait, il n'est question que d'ajuster votre regard sur les choses de la vie qui vous est donnée et d'accepter les suggestions du Principe de la Terre puis enfin de vous fondre en lui en cessant de l'affronter.

Cela nécessite juste un peu de volonté d'aimer, juste aussi la décision de ranger une dose d'orgueil dans le tiroir aux choses désuettes.

Cela commence par tendre la main très concrètement, à celui que vous croisez chaque jour mais que vous ignorez, par laver une assiette en remerciant la vie de vous avoir donné l'occasion de la salir et par respecter le clou que vous enfoncez dans le bois parce que sa simple présence participe au confort de votre existence.

Même si je vous semble un vieillard couvert de cendres au fond d'une grotte étrangère à vos civilisations, je connais votre monde et je conçois que de tels principes puissent vous paraître puérils, voire issus d'une âme stupidement béate, faible et passive. C'est votre droit mais, en toute franchise, je doute fort que vos sociétés où l'on sait, dit-on, vivre, se battre et rester droit sur ses deux pieds, soient aujourd'hui en mesure de tourner le dos à une certaine simplicité et de poursuivre encore bien longtemps leur raisonnement.

Ne vous imaginez pas que je tente d'opposer en vous l'Est et l'Ouest ou si vous préférez selon vos propres termes le cerveau droit et le cerveau gauche. Ma tâche consiste à dénouer un écheveau en vous faisant toucher du doigt la signification de chacun de ses nœuds. La Terre elle-même est d'ailleurs semblable à la corde tout entière et c'est le long de sa proposition que vous allez maintenant vous hisser de plus en plus consciemment. Cette corde n'est pas torsadée sur la base de deux brins qui se chevauchent indéfiniment, l'un blanc, l'autre noir. De toute éternité, elle a au contraire la structure d'une tresse, c'est-à-dire qu'elle est triple en ce sens qu'elle rend possible la réconciliation de l'Ombre et de la Lumière.

Elle peut conférer à ces deux polarités une unique et commune mission rédemptrice. Ainsi, le troisième brin de la corde n'est-il ni blanc ni noir, ni amour ni haine. Il exprime une dimension de vous qui vous demeure encore inconnue. Il est la cime immaculée que vous pressentez. Je ne vous parle pas d'une tiédeur grisâtre, pas plus que d'une fade sagesse qui relativise tout derrière un pseudo détachement tranquillisant. Je vous signale, si vous m'en permettez l'expression « à tout hasard », l'existence d'une troisième force, en réalité la seule véritable Force. Comment la définir ? Elle est un regard, un cœur, une main, au-delà de ce que vous entendez par Amour. Pour elle, l'épée n'a de valeur que par ce point où les puissances apparemment adverses s'unissent : son centre. Pourquoi capter cela comme à l'habitude, d'une oreille distraite ?

La force indispensable dont la Terre vous offre les racines ne concerne pas simplement ceux que vous appelez les « sages » ou les « saints ». C'est vous qu'elle interpelle chaque jour individuellement, depuis votre naissance. Cherchez bien avec honnêteté. N'est-ce pas toujours le même type d'obstacle que vous rencontrez depuis votre venue en ce monde ? Oh, certes il a peut-être emprunté des visages parfois bien différents les uns des autres. Mais, vous le savez parfaitement, il y a finalement un point commun dans tout ce que vous avez vécu jusqu'ici. Essayez alors, sans plus attendre, de lui donner un nom à ce point commun. Baptisez-le, non comme l'ennemi à abattre mais ainsi que le révélateur d'une partie de vous, d'un territoire profond de votre être qui demeure inexploré ou que vous aimez mal. Comment s'appelle-t-elle donc cette terre à fertiliser ou cette muraille à franchir ? La dénommer, c'est déjà la maîtriser un peu. Ne vous trompez pas de but pourtant. La vie ne vous demande pas de terrasser cette énergie qui vous barre la route. Elle veut que vous la résolviez, c'est-à-dire que vous tentiez de comprendre sa raison d'être momentanée ainsi que la qualité qu'elle vous suggère inlassablement de cultiver.

Ne prétendez surtout pas qu'un tel but et qu'une découverte de cette ampleur, avec tout ce que cela induit, ne vous concernent pas. C'est précisément la raison d'être de votre venue sur Terre et ce qui donne un caractère nécessairement sacré à tout ce que vous rencontrez.

Jusqu'à présent, la plupart du temps, vous n'avez fait que croiser les choses et les êtres, vous ne les avez toujours pas précisément rencontrés dans leur cœur. Je veux dire, mes amis, que vous n'avez pas vu de quel message la Vie les rendait porteurs.

Tel homme vous agresse ? Quelle qualité sa vie vous murmure-t-elle de faire germer en vous afin que l'agression se transmue en ferment ? Telle situation vous épuise ? Mais ne serait-ce pas plutôt le regard fatigué et sans espoir que vous lui consacrez qui vous mine de la sorte ?

Ne voyez-vous pas à quel point vous ressemblez tous à ces photographes qui immobilisent, qui pétrifient un aspect de l'existence d'un point de vue subjectif et réductif, celui de leur optique. La Terre, avec ses multiples parures, vous offre la possibilité de prendre de l'altitude.

Non, je le répète, ce n'est pas un plan de construction pour les sages et les saints que je vous trace là ! D'ailleurs, qu'est-ce qu'un sage ou un saint derrière les édulcorants des religions ? Assurément pas un être que quelque grâce divine additionnée d'ineffables qualités a investi dès la naissance. Il s'agit avant tout d'un homme ou d'une femme, tels que vous, qui s'est construit, c'est-à-dire qui s'est redécouvert ou plus simplement s'est ouvert. Peut-être, direz-vous maintenant avec votre langage, qui a déprogrammé en lui le malheur et l'ennui, toute notion d'échec, d'impuissance et d'étroitesse. La Terre ne vous broie que dans la mesure où vous la concevez comme une meule !

Si vous estimez qu'il est trop tard pour venir frapper à votre porte parce que la vie vous a déjà broyés, qu'importe ! Sachez que le grain trouve aussi sa noblesse sous la pierre qui le réduit en farine. Ainsi votre aigreur à l'encontre de la vie, peut-elle devenir, même à votre insu, une nourriture qu'il faut juste apprendre à reconnaître. D'ailleurs, je vous le demande, est-ce bien la Vie qui vous malmène et trace autant de sillons sur votre corps et dans votre âme ? Ne pourriez-vous pas plutôt accuser l'existence, c'est-à-dire une succession d'apparences sur lesquelles chacun pose un regard erroné et exagérément sérieux ?

Dites-vous bien ceci : tout est important mais rien n'est jamais sérieux . Cela vous choque, cela vous contrarie ? Aucune importance, méditez cette notion ! Mais encore une fois, ne la méditez pas comme une vérité absolue prédigérée à votre intention... Méditez-la en tant que possibilité capable de vous ouvrir des horizons nouveaux. Trop de portes restent fermées parce que l'humain ne veut pas même se donner la peine de les entrebâiller.

Tout est important parce qu'un arbre que l'on coupe change à sa façon l'équilibre du monde, parce qu'un être qui souffre est une insulte à la force de Vie, une plaie dans le ventre de la Terre. Mais rien n'est sérieux parce qu'il y a un baume absolu à tout cela, un baume qui se cache derrière votre masque et celui dont vous affublez la vie.

La Réconciliation qui s'approche aujourd'hui de vos lèvres sous la forme de la coupe du Wésak ne saurait bien sûr se résumer à une prise de conscience. Est-il besoin de vous le préciser ? C'est exactement parce que l'on s'est aspergé de mots que les Eglises sont vides, parce que les cœurs des philosophes ont souvent été secs derrière leurs plumes, que les systèmes sociaux s'effritent.

L'Amour-Sagesse du Wésak réclame maintenant sa mise en pratique immédiate. Il claironne l'importance et l'imminence d'un tremblement de Terre. D'abord de votre Terre intérieure par le dépassement, sans tergiverser, de vos mécanismes étriqués et de vos réactions conditionnées.

Pourquoi ne jamais dire que vous les aimez à ceux qui vous sont chers ? Pourquoi ne pas sourire à ceux que vous ne connaissez pas mais que la vie place face à vous pour une minute ou une heure ? Le bonheur d'être sur Terre débute là... Il importe peu au maître Jésus, au Bouddha, à Krishna ou au prophète Mahomet que vous croyiez en eux. Ils n'ont que faire des dogmes que vos appétits ont forgés à partir du présent que fut leur vie. La table merveilleuse à laquelle ils vous convient ne porte pas de sceau et n'est la propriété d'aucun d'eux. Seule votre résolution d'aimer, quelle que soit la frange colorée de l'arc en ciel que vous revêtiez, vous y donne accès.

Le bonheur simple d'être sur Terre, je vous l'ai dit, est à redécouvrir... mais je devrais ajouter aussi « la chance » d'être sur Terre.

Ecoutez ceci : dans l'infini de l'Univers, les formes de vie sont si multiples et tellement foisonnantes qu'un seul homme y perdrait son existence à essayer de les dénombrer. Ces formes prennent des apparences si diversifiées et évoluent sur des niveaux de conscience si étranges qu'il pourrait sembler qu'elles n'aient rien en commun. Et pourtant, en vérité elles ont un dénominateur unique, ainsi que vous en avez un avec tous ceux qui vivent sur cette Terre, aussi différents les uns des autres puissiez-vous être. Ce dénominateur, c'est la recherche de l'Identité ou si vous préférez la volonté de retrouvailles avec la Source première dont ces formes gardent toujours l'empreinte et le souvenir plus ou moins révélé. Pour cela, il leur faut un ancrage, un port d'attache au navire de l'âme. Il leur faut une glaise dans laquelle il est bon de se projeter, à laquelle il est indispensable de se frotter. Etrangement, dans sa densité, cette glaise joue le rôle d'un miroir. Chacun s'y observe, se grime, se refaçonne, non pas en superficie comme cela peut paraître, mais en profondeur. Son rôle et la clé qu'elle procure ainsi sont tellement déterminants que les formes de Vie ne peuvent en hériter qu'à un moment précis de leur évolution.

Avez-vous jamais imaginé qu'il y ait des âmes à la recherche d'un corps de matière, d'un corps de terre, bien dense ? Vous trouvez cela stupide ? Il en existe cependant des myriades dans ce cas, qui attendent que la porte s'ouvre parce qu'elles voient à quel point la route caillouteuse forme l'homme. Elles ne cherchent pas la souffrance… Ne croyez pas cela… Celle-ci n'est pas le moteur de croissance indispensable et universel que certains s'imaginent. Elles veulent se connaître seules, face à une montagne à escalader parce qu'elles savent que c'est à son sommet, là où l'ego se met à fondre, que se déploie un horizon nouveau.

D'aucuns se persuaderont que tout ceci est une fable ou une métaphore stérile. Cela peut, en effet, en être une si vous tous, hommes et femmes, individuellement et collectivement, ne prenez pas la décision ferme de saisir la chance qui est encore vôtre et de vous aimer, tels que vous êtes d'abord puis tels que vous allez vous faire ensuite.

Vous m'avez bien entendu : il faut que vous commenciez par vous aimer tels que vous êtes : avec vos insuffisances, vos petitesses et vos potentiels, révélés ou non. Il ne s'agit pas d'une invitation au narcissisme ou au nombrilisme. Ce n'est ni votre carapace ni votre vêtement social qui m'intéressent. Ce que vous singez et les boucliers protecteurs que vous tendez, aussi chromés soient-ils, sont hors sujet !

Lorsque je vous demande de vous aimer, je vous demande de vous accepter avec vos limitations parce que celles-ci sont de simples blessures momentanées, des reflets de votre marche vers la Lumière. Elles sont le signe que la terre a déjà été labourée en vous et que vous avez peur... mais elles ne sont pas vous. Comprenez-moi, j'insiste sur cette vérité : vos laideurs ne sont pas vous. N'y voyez que vos cicatrices. Allez-vous continuer à vous identifier à la déchirure faite à votre habit ? La Terre-élément vous donne la possibilité de voyager d'un bout à l'autre de cette déchirure, c'est en cela que vous devez l'honorer... Mais elle n'attend certes pas de vous que vous vous assimiliez à la blessure qu'elle éclaire.

Peut-être vous étonnez-vous de ce que je parle de l'énergie-Terre, de la matière-Terre comme d'une force consciente, parfaitement vivante, au même titre que vous et capable « d'attendre quelque chose de vous »... Je ne saurais cependant user d'un langage plus concret. Oui, la Terre pense, la Terre veut, la Terre espère...

Il y a bien sûr tout d'abord cette Terre sur laquelle vous vous déplacez et qui vous a épousés âge après âge, depuis des millions d'années. Celle-là ne vit pas simplement comme un organisme régi par des mécanismes biologiques. Elle est autre chose qu'une machine naturelle bien huilée ou qu'un équilibre écologique à sauvegarder. Vous devez reconnaître en elle l'Etre total qu'elle représente de toute éternité, c'est-à-dire avec ses multiples niveaux de manifestation, du plus dense au plus subtil. Lorsque vous parcourez ses chemins, lorsque vous voguez sur ses mers ou volez dans ses airs, vous baignez dans son corps vital, insensibles la plupart du temps au rayonnement de sa conscience. Je ne m'étendrai pas sur cette rupture ; la culpabilisation n'a jamais été un bâtisseur. Je vous dis seulement que le divorce a assez duré, qu'il a suffisamment opéré et que la Réconciliation avec vous-même passe nécessairement par un pacte nouveau avec la Terre-conscience, expression féminine de la Force de Vie. Tout est question d'échange. Vous ne l'habitez pas seulement comme on habite une maison car elle est aussi une maison qui habite en vous. Vos devenirs sont liés. Ainsi les cellules de votre corps vous façonnent-elles à leur rythme, tandis que vous les influencez et les modelez avec le vôtre.

Vous avez avili la matière en ne la comprenant pas, en vous laissant abuser par des dogmes erronés. Vous n'avez pas vu à quel point elle pouvait et devait s'élever en même temps que vous. Votre œuvre de Réconciliation implique une spiritualisation de la densité, c'est-à-dire de ce que la terre imprime de pesant en vous et autour de vous.

Voilà un grand mot me direz-vous... spiritualisation ! Il est vrai qu'il ne signifie pas grand chose puisque tout, tout est fondamentalement spirituel. J'entends par cela que chaque « chose », chaque être, chaque acte trouve son principe dans l'Esprit et que sa destination est de retourner à l'Esprit... Même ce que vous concevez comme étant néfaste à la Vie, même ce qui se rebelle contre elle !

L'agent universel se nomme Amour. Quand bien même il se déguise en amour de la violence, de la domination et des possessions, c'est toujours l'Amour. Ainsi, ce que certains appellent la rébellion de la Matière contre l'Esprit n'est qu'un épisode voulu par la Vie elle-même dans sa fabuleuse expansion. Elle est une graine de liberté, je veux dire d'expérimentation, d'exploration de soi. La possibilité de se tromper et d'errer, voilà le plus beau cadeau qui pouvait vous être fait parce qu'il vous oblige à respirer par vous-même ; il vous contraint à dessiner vos propres cartes et à avancer réellement, peut-être lentement, mais certes pas comme un automate.

La Terre qui vit donc en vous, sachez-le, est une bénédiction car elle représente le droit à l'erreur qui vous fait grandir. Etes-vous prêts à tourner la page afin de vous considérer différemment ?

Voilà que je vous propose un jeu pour pousser plus avant votre exploration.

Asseyez-vous paisiblement devant un miroir, pas bien loin de celui-ci, disons à une cinquantaine de centimètres. Qu'y voyez-vous ? Un être évidemment, un être que vous pensez, que vous dites être vous. Il est possible que sa physionomie vous plaise, que vous appréciiez le teint de sa peau, les contours de son visage ou encore le tombé de sa chevelure...

Mais peut-être aussi n'aimez-vous pas la couleur de ses yeux, le galbe de ses joues, son allure générale ou que sais-je encore ?

Tout cela pourtant, tout ce que vous aimez et tout ce qui vous indispose, tout cela ne représente qu'une petite couche de vous... Bien sûr, rien de nouveau en cela, vous le savez. Cependant c'est tout de même au niveau de cette couche que vous vous attardez : « Qu'en pensent les autres ? Ces lèvres que je vois tombantes et ce pli au milieu du front, comment sont-ils compris ? »

Invariablement, cette superficie et ce que vous imaginez qui s'en dégage demeurent votre point de référence, la base de votre réflexion. Voilà pourquoi je vous propose face à votre miroir de vous regarder différemment. Cela présuppose que vous ne vous observiez pas, que vous ne vous épiiez pas. Ce sont vos yeux que vous allez fixer, non pas de façon intense et volontaire afin d'en saisir on ne sait quoi, mais avec paix et douceur. Je vous assure qu'il n'y aura rien à capturer dans ces yeux que vous allez peut-être regarder vraiment pour la première fois de votre vie. Leur couleur n'a pas d'importance, ce qui en a c'est ce qu'ils vont vous raconter, simplement, sans intermédiaire possible.

Pour cela, je vous suggère d'accepter de plonger en eux, sans artifice, comme vous vous fondriez dans le regard de celui ou de celle que vous aimez et pour lequel vous iriez jusqu'aux confins de l'univers. Rien de difficile en cela ; il vous est juste demandé un peu de lâcher-prise, même si l'expérience n'est pas très agréable au début. Plongez donc dans cet océan que vous ne connaissez pas, puisque jusqu'ici vous vous étiez attardés à ses reflets.

Plongez-y et demandez lui : « Qui es-tu ? » Répétez la question s'il le faut, il ne peut manquer d'y répondre. Certes, il ne vous murmurera peut-être pas une phrase ni même un mot, mais il vous répondra à sa façon. Sans doute d'abord par une impression fugitive, puis par la perception d'une souffrance, certainement une peur. Petit à petit, vous essaierez de lui donner un nom à ce sentiment, à cette peine ou à cette peur.

Alors, de jour en jour, à chaque fois que vous répéterez ce dialogue avec le miroir, vous essaierez de sourire un peu plus à cette terre douloureuse, jadis inconnue, du fond de vos yeux. Vous allez lui dire que vous l'aimez, non pas pour qu'elle perdure mais pour qu'elle se dépasse elle-même et qu'une fleur vienne l'éclairer.

Je vous l'affirme bien haut, mes amis, lorsque l'on est en mesure de s'offrir une fleur à soi-même – je n'ai pas dit de s'acheter une fleur – un grand pas vers la Réconciliation est accompli et l'on devient capable d'offrir réellement une fleur à autrui. Le vrai cadeau, celui qui ne dépend pas d'un réflexe social ou d'une volonté inconsciente de montrer sa domination, devient à ce moment-là possible.

Dès lors, voyez-vous, c'est la fête de la Terre !

Cette pratique « du regard aimant » que je viens de vous suggérer ne doit pas s'inscrire en vous tel un exercice à accomplir. Ce n'est pas à votre intellect ni à certains muscles de la mémoire qu'elle s'adresse mais à votre cœur. Le cœur ! C'est par lui seul que vous allez pouvoir rendre sa virginité à la Matière, à la Terre qui est en vous et à la Terre totale. Voilà une clé que je vous dessine, d'abord pour l'amour du monde visible, pour l'amour de soi... Car ne l'ignorez plus, c'est par l'amour du Visible qu'il faut commencer l'ascension puisque le Visible est un des langages de l'Invisible.

Evidemment, actionner une telle clé dans la serrure de votre conscience va mettre en relief une vieille rouille et vous allez vous cabrer.

Evidemment aussi, des pensées brouillonnes, des pulsions et des rejets vont jaillir de vous. Mais comment pourrait-il en être autrement ? L'ego auquel on touche produit d'étranges excréments... N'en ayez pas peur. Eux aussi ont eu leur rôle à jouer. Entre autre celui de vous donner envie de respirer pleinement et d'écumer en vous ce qui n'est pas vous.

Vous devez l'observer attentivement cet ego qui, faisant mine de bomber le torse à chaque instant, ne sait en réalité que se dérober à tout.

C'est pour enrayer un tel mouvement de fuite que vos énergies doivent dès à présent se mobiliser.

Voilà la raison de mon appel et le pourquoi du grand virage que vous invite à prendre le Wésak. Vous n'entendrez bien sûr sonner aucun clairon car la proposition qui vous est faite est précisément de ne plus mener de guerre contre vous-même. En cet instant, une telle charte de paix vous semble probablement relever d'une évidence éclatante mais était-elle si lisible en vous ce matin même ?

Puisse donc le premier barreau de cette échelle que nous escaladons ensemble n'être pas de papier.

Chapitre II

Communier avec l'eau

...Le vieillard s'est interrompu et pendant quelques instants sa présence qui semble presque s'effacer de la cavité rocheuse nous laisse seuls avec notre espace intérieur, habités par cette sensation de vide qui succède aux rencontres intenses... Dehors cependant, le soleil paraît n'avoir pas bougé dans le ciel. Sa lumière un peu froide et blanche se faufile jusqu'à nous avec la même intensité, le même chuchotement qui force une espèce de joie. De temps à autre, porté par un vent que l'on devine capricieux, le chant grave de quelques trompes himalayennes parvient jusqu'à nous, tandis que l'image fugitive d'un petit groupe de dignitaires en robes rouges et safran passe devant nos yeux. Une cérémonie se poursuit-elle encore, tout là-bas dans la vallée ? Sans doute, car l'éclat majestueux d'un ensemble de timbales perce maintenant l'air... Pourtant, notre souhait n'est plus de rejoindre le cortège hétéroclite du peuple des montagnes et de ses lamas. Ce qui se passe au cœur même de la lumière, cette réalité que nous effleurons face à un vieil homme couvert de cendres, tout cela revêt pour nous une autre force. Il nous semble commencer à lire un peu plus entre les lignes des apparences. Il y a un autre Wésak derrière le Wésak, impossible d'en douter... et c'est celui-là qu'il nous faut découvrir et vivre.

... Après un long inspir, le vieillard lève à nouveau les yeux dans notre direction. Une fois de plus, alors, nous sommes subjugués par quelque chose de terriblement jeune en lui. Bientôt, nous ne sentirons plus de sa présence qu'une flamme crépitante et le masque de sa peau craquelée s'estompera...

« Il faut tout fluidifier, commence doucement le souffle qui se dégage de lui. En vérité, aimer et honorer la Terre, c'est aussi ne rien pétrifier d'elle, en soi. La Terre dont je vous ai parlé, c'est également l'eau qui circule dans vos rivières intérieures et le fleuve des courants universels dans lequel vous baignez. Aimer et respecter la matière dans ce qu'elle a de souvent pesant ne signifie pas l'immobiliser. Ainsi, l'Eau dont je vais pour vous être l'interprète sera-t-elle le second agent du Wésak que vous devez découvrir. Mais avant tout, mes amis, ôtez de votre esprit toute idée de hiérarchie. Second ne veut pas dire secondaire. Le premier barreau de l'échelle perdrait toute sa signification s'il n'était suivi par un autre. L'Eau dont je vous entretiens maintenant représente cet élément de purification par lequel vous allez fluidifier en vous la glaise de toutes les épreuves. Elle est la décrispation face à cette espèce de sciatique mentale dont vous et votre civilisation souffrez de façon non seulement congénitale mais aussi héréditaire.

... Elle vient vous apprendre qu'il n'existe aucune fatalité ni dans la pesanteur ni dans la raideur des attitudes. L'Eau que le Wésak veut révéler en vous, vous le pressentez, n'est pas simplement ce liquide désormais si rarement pur que votre corps réclame. Elle est tout ce qui en vous, facilite le Grand Nettoyage indispensable au maintient de la Vie. Elle est vos reins eux-mêmes, votre vessie... Détrompez-vous, il n'y a rien de trivial dans ces organes, pas plus qu'en aucun autre d'ailleurs. Leur fonction est aussi noble que celle de toute autre partie de votre être. Cette eau-la que vous nommez urine est l'étonnant baromètre du degré de fluidité de la Vie en vous. Voyez-y le reflet de vos tensions, de vos remises en question ou du refus de celles-ci.Voyez dans sa pollution une analogie avec les miasmes de votre force mentale dont vous ne savez vous défaire et qui entartrent votre être par strates successives. Vous ne buvez pas assez l'Eau de la Vie, vous absorbez son fac-similé que vous pétrifiez à l'intérieur même de votre être.

Ne vous sentez-vous pas parfois tel un filtre qui n'a jamais été nettoyé ou tel un bassin de décantation proche de la saturation ? Ne le niez pas et ne cherchez pas d'excuse. Cet engorgement dont vous souffrez ne suffit pas à faire de vous les victimes innocentes d'un monde que vous savez faussé. Le monde c'est vous. Jusque dans ses plus petits rouages. De la plus parfaite beauté jusqu'à la plus grande aberration !

La seule eau qui circule en vous, je l'appelle, quant à moi, l'énergie de l'existence car c'est de la sorte que vous vous entêtez à la penser.

Ainsi, buvez-vous certaines eaux comme vous buvez certaines ondes mentales, par actes mécaniques, inconscients, vides d'amour et saturés de ce sentiment d'appropriation si caractéristique de l'ego qui souffre...

L'Eau de la Vie qui sous-tend tout ce que mon cœur cherche à vous communiquer n'est pas un symbole au sens où vous l'entendez. Elle est une façon de voir, de comprendre, d'absorber et de retransmettre le flot vital que l'Univers met à votre disposition et sans lequel tout s'enkyste en votre être.

Ne retenez pas captive la vie qui de toutes façons est vôtre, laissez-la libre de circuler, telle qu'en elle-même ; voilà le chant de l'Eau qu'il vous faut dorénavant redécouvrir. Sa source est à fleur de Terre. Peu importe si vos habitudes l'ont enfouie sous les décombres car tout pouvoir vous est aujourd'hui proposé pour la remettre à jour.

Tout d'abord, prenons les choses à leur base... et répondez à cette question que je vous pose : comment buvez-vous ? Par petites gorgées ou à grands traits ? Avec empressement, avidité peut-être, ou au contraire sereinement ? Seule votre attitude intérieure m'importe ici. Je conçois que la question puisse être déroutante car vraisemblablement vous en ignorez vous-mêmes la réponse exacte. En effet, un thérapeute peut vous demander ce que vous buvez et combien vous buvez. Quant à moi je veux seulement savoir comment vous accomplissez cet acte... ou plutôt que vous sachiez ce qu'il en est. Vous me répondrez que cela dépend des circonstances mais je ne vous parle pas du plaisir gustatif ni de celui que l'on prend à étancher une soif.

Ma tâche consiste à souligner une toute autre chose : la nécessité d'un état d'esprit... Car la difficulté vient de ce que vous buvez si rarement l'eau. Oh, certes, vous absorbez, vous incorporez à votre organisme ce que vous appelez savamment sa « combinaison moléculaire ». En réalité, c'est son corps que vous appréciez ou peut-être son âme, je vous l'accorde, lorsque votre soif est ardente. Mais avez-vous jamais su recevoir son esprit ? C'est-à-dire ce quelque chose de plus qui l'habite et qui fait justement qu'elle est l'Eau. Ne cherchez pas une impression différente à découvrir derrière son goût ou sa fraîcheur. C'est au niveau de votre conscience que la découverte doit éclore... car l'esprit de l'Eau est un esprit de baptême, c'est-à-dire une force rénovatrice, une voix qui vous suggère d'éclairer différemment, d'un faisceau plus libre, la totalité de votre être. Comprenez-vous cela ?

Croyez-moi, il n'y a aucun mystère dans la façon de s'ouvrir à l'esprit de l'Eau... quelle que soit la qualité de cette dernière, qu'elle provienne de vos canalisations urbaines ou d'un ruisseau de montagne car, si sa chimie compte pour votre corps, sa flamme fait bien plus encore pour votre éveil.

L'Eau dont je vous parle, celle qui peut vous aider, attend que vous la receviez simplement comme une invitée, c'est-à-dire que vous ne l'engloutissiez plus d'un geste mécanique propre à satisfaire une fonction vitale, mais que vous la buviez en la découvrant en tant que présence sacrée. Pour entamer le dialogue avec son essence, il suffit de le vouloir. Je ne vous parle donc pas de beaux et nobles rituels. Je vous entretiens simplement de votre vie de chaque jour puisque ce sont les instants que l'on dit banals, que le feu du Wésak peut vous aider à purifier, puisqu'enfin c'est par eux, par leur apparente pusillanimité que vous grandirez.

La communion avec l'esprit de l'Eau ne demande ni préparatifs ni discours. Elle doit pouvoir s'accomplir dans le silence solitaire d'une cuisine, sur un quai de gare comme dans la salle grouillante de monde d'un restaurant. C'est si enfantin, si discret. Dorénavant, tandis que vous porterez l'eau à votre bouche, pensez simplement « Je t'accueille »...

Là, je devine votre désappointement ! Comment peut-on prétendre se rénover de l'intérieur et établir un contact avec une essence de Vie par deux mots aussi puérils ? En vérité on ne le peut pas si vous estimez que tout tient dans ces deux mots. Ils ne sont pas tel un mantra dont les nuances vibratoires sauront vous modeler. Vous devez les voir en tant que proposition venant du seul point de votre cœur, comme une porte grande ouverte. En vérité, ce ne sont pas les mots qui ont une vertu magique, car c'est vous, dans votre totalité qui devenez le « sésame ouvre-toi », c'est vous qui êtes une invitation. C'est enfin le maître de maison que vous êtes qui pousse le portail !

Certes, la conscience lumineuse de l'Eau ne répondra peut-être pas la première fois à une telle offre, non parce qu'elle vous dédaignera mais parce que vous ne croirez pas vous-mêmes à votre « capacité d'accueil ». Peu importe ! Si vous voulez qu'il fasse beau chez vous, commencez par ne plus ouvrir le parapluie sous votre toit... Faites-vous confiance. Puisque la Vie a décidé de vous animer c'est que vous en êtes dignes !

Répétez donc « je t'accueille », à chaque gorgée, dans le silence de votre cœur et prenez conscience en semant les graines de ces mots qu'un grand être s'incorpore en vous. Ce que je vous propose par une telle méthode, mes amis, n'a rien de commun avec une autosuggestion. Je vous montre seulement une clé afin que la Réalité vienne loger chez vous un peu plus pleinement, jour après jour. Oui, jour après jour... bénissez les changement qui s'opèrent progressivement. Votre monde vous a appris à les dédaigner mais on ne fait pas pousser un arbre en quelques semaines avec deux ou trois doses d'engrais ! Ainsi, ce ne sera jamais par la grâce de quelques séminaires arrosés d'activateurs sonnants et trébuchants que la cochenille qui agresse votre être s'évanouira. Sans doute en sera-t-elle secouée, sans doute aussi l'apercevrez-vous plus clairement qu'autrefois et ce sera un bien mais, nul autre guide que vous face à vous, à travers vos résolutions quotidiennes ne peut remonter le fil d'Ariane. Cela, vous devez le savoir.

Ce que l'esprit de l'Eau attend de vous dans l'accueil que vous pouvez lui réserver, c'est un grand éclat de rire ! L'Esprit de l'Eau, c'est la joie retrouvée, tout d'abord de savoir que quelque chose circule en soi, puis de reconnaître ce « quelque chose » sans qu'il soit même besoin de lui donner un nom.

Un tel élargissement de la conscience dilate les canaux subtils de tout être humain qui le vit. Il en fait éclater les gangues calcaires lentement tissées par les forces du non-espoir et de la mésestime de soi.

Ne vous y trompez pas... le rire fait partie de cette essence de l'Eau dont je vous entretiens. Il est un diluant, un surprenant nettoyant capable de désincruster toute chose qui se pétrifie à l'extrême, c'est-à-dire les éléments de cet inutile sérieux dramatisant qui font de vous un canal étroit par lequel la vie a peine à se faufiler. La joie et le rire sont analogues à un système urinaire sur les plans de votre réalité subtile. Par eux, vous éliminez les déchets que votre psychisme a générés à travers les épreuves, vous vous lavez et vous sapez les bases de quelques barrières limitatives. On vous dit bien sûr que l'eau des bénitiers impose une dignité qui s'accommode mal de la joie et du rire, mais vous a-t-on seulement appris ce que pouvait être la joie, vous a-t-on laissé la possibilité de la découvrir ? Ne vous a-t-on pas plutôt aidé à confondre dignité de surface et noblesse d'âme, bonheur de ne pas faire semblant de vivre ?

Ce « on » qui vous a poussés, reconnaissez-le, c'est le mensonge que vous avez laissé fleurir dans les Eglises et les Partis de toutes sortes depuis des chapelets d'existences. C'est aussi votre paresse puis votre peur de prendre un miroir.

Ne renversez pas l'eau des bénitiers mais rendez lui sa force ! Si vous la recueillez un instant dans le creux de votre main, regardez-la ne serait-ce qu'une seconde et demandez-vous « qu'est-ce que c'est ? » Une fois de plus, dépassez le symbole puisque votre monde a dévitalisé la notion même du symbole.

J'ai parlé du Feu de l'Eau. Cela ne doit pas vous surprendre. Lui non plus ne se résume guère à une image propre à faire éclore un mysticisme poétique. Ce Feu, apprenez qu'il est cette qualité d'Amour que je veux vous faire redécouvrir à travers le renouveau du Wésak. Cette énergie est telle qu'elle va vous remémorer la volonté de vous lever au dedans de vous-même. Elle va briser la glace de votre immobilisme. Ainsi, l'eau que la Terre porte peut laisser s'exprimer en son sein une Eau brûlante apte à dégeler votre apathie.

J'ai bien dit votre apathie... car les Temps ne peuvent plus se satisfaire de quelques lectures ni de l'adhésion à des notions philosophiques tranquillisantes. Les Temps, c'est-à-dire le Souffle du monde qui entraîne tout dans sa course, appellent à ce que tout circule. Ils appellent les idées à enfanter de leurs propres concepteurs et les mots à s'incarner. Dans quelques décennies, il s'en trouvera très peu parmi vous pour combattre encore certains Principes universels que l'on baptise faute de mieux du nom de

« spirituels ». Mais que cela changera-t-il si l'humanité n'a pas libéré le Divin en elle ?

Il faut donc que dès maintenant, pour chacun de nous, cette humanité ouvre les vannes de ses barrages et les portes de ses écluses de censures.

Une semblable résolution commence par la suppression de tous les « on ne peut pas » imaginables. Dites-moi pourquoi on ne peut pas concevoir une Terre sans conflit et le bonheur pour tous. Dites-moi aussi pourquoi « on ne peut pas » croire sérieusement à une vie ailleurs que par et dans la matière. Dites-moi enfin pourquoi « on ne peut pas » admettre que cette vie se développe bien au-delà de notre Terre. Parce que la cartographie de l'Homme que les générations se lèguent les unes aux autres est depuis longtemps périmée et continue malgré tout de façonner des pygmées de la conscience. Je vous le dis, il n'y a aucune barrière que vous deviez accepter dès lors que votre vie et celle d'autrui se fluidifient et se pacifient.

Pour cela le non-jugement sera votre phare. Mais pour bien en admettre l'authentique lumière, il importe que vous dépoussieriez le « tu ne jugeras point » aux accents bibliques.

Le non-jugement que j'évoque n'est pas à vivre comme une interdiction. Une interdiction n'a sa raison d'être que pour ceux dont on estime qu'ils ne sont pas aptes à comprendre... Or vous avez résolu de comprendre ! Le non-jugement que vous allez faire vôtre, je l'appelle plutôt respect. Respect de la diversité, respect de la multitude des courants qui alimentent le flot de la Vie. Chacun prône bien sûr un tel respect et il est bien connu que l'intolérance est toujours l'apanage d'autrui, sa signature invariable. Une suggestion cependant... : l'espace d'une journée seulement, mesurez le temps que vous passez en jugement. Minute après minute, vous vous rendrez compte à quel point vous vous épuisez ainsi et de quelle façon vous érigez sans cesse digue après digue pour soi-disant vous protéger d'autrui, pétrifiant ainsi vos idées, vos comportements et bloquant en votre être la libre circulation du flux de la Vie.

La sagesse que suggère le Wésak ne prône aucunement l'acceptation de tout car la passivité est souvent mère de l'injustice, elle est le faux détachement des paresseux du cœur. Si elle ne conçoit pas le jugement, la sagesse cohabite cependant fort bien avec la notion d'opinion que chacun peut avoir sur toute chose. L'opinion peut réprouver, condamner même et générer l'action mais elle le fait sans mépris ni haine, sans jalousie ni colère. Elle est une expression décrispée de l'être, un ferment de liberté.

Certes, mes amis, la frontière est parfois subtile entre jugement et opinion et seule une volonté d'aimer permet de la distinguer aisément. Cependant, fermez votre poing sans faire intervenir votre réflexion et observez-le aussitôt. Est-il crispé ou vos doigts sont-ils simplement repliés ? La différence est la même. Elle tient à ce « si peu » qui, en vous, peut tant de choses !

L'amour chanté par le Wésak trouve déjà là toute son expression. Je l'appelle annihilation des pulsions de mort, de ces pulsions que vous dirigez en fait contre vous-même à votre insu.

Qu'avez-vous donc à prouver par le réflexe autobloquant du jugement ? En vérité, vous ne faites qu'exprimer une souffrance, celle de la vision réductionniste de l'ego qui se veut mesure de tout.

Et si vous acceptiez de n'être mesure de rien ? Tentez l'expérience... Celle-ci n'a rien à voir avec la culture d'un certain laisser-aller ni d'un relativisme facile et démotivant. Essayez d'être à la fois le navire et le port, l'invité et le maître de maison ou plutôt essayez de vous en souvenir car en réalité voilà ce que vous êtes : la plage et les vagues, une porte ouverte, c'est-à-dire une possibilité vers l'Infini.

Ma tâche, amis, consiste à vous rafraîchir la mémoire et la mémoire de l'eau qui cherche à circuler en vous, c'est aussi la mémoire du sang. Oui, votre sang se souvient et, comme l'urine, il ressemble étrangement à un baromètre.

Il est la « banque de données » totale, physique et vitale de votre être, c'est à dire la mémoire fidèle de votre réalité matérielle et éthérique. En d'autres termes, il est un étonnant condensé de ce que vous êtes, en connexion permanente avec deux mondes, celui que vous captez par vos yeux et un autre, plus subtil bien qu'encore proche de la Terre.

Le sang vous résume génétiquement très au-delà de ce que les recherches humaines ont jusqu'alors mis en évidence. Cependant, même si ce champ d'investigation peut s'avérer extraordinaire, ce n'est pas celui dont j'aimerais vous parler. Celui qui doit capter votre attention ici, ne nécessite aucune connaissance technique ou biologique. Il réclame un peu d'intuition et une certaine logique.

Le sang en tant que facette de l'Eau universelle qui circule en vous, est un grand récepteur, une grande « plaque sensible » de tout ce qui intervient dans l'univers personnel de chacun. Il est un incroyable mémorisateur de peurs et de pulsions. D'un autre point de vue, il doit être compris comme un des moteurs de la nature animale, irraisonnée, qui agit en tout être humain.

Tout ceci pour vous dire, amis, que votre travail d'auto-régénération doit vous amener à ne plus subir cette Eau polarisée par le Principe du Fer qu'est le sang. Ne vous imaginez pas que je veuille rejeter, par de telles constatations, l'une des bases de la vie en ce monde. Le sang, notamment lorsqu'il circule avec chaleur dans un organisme est un cadeau que la nature offre à la Conscience qui s'incarne. Il est un support, un médiateur indispensable à l'expérience de la Matière.

Je veux seulement vous dire que, comme tout ce qui se meut en vous, il a besoin d'être purifié, lavé. A l'instant, je vous l'ai signifié, la moindre de vos pulsions s'inscrit en lui. La sève rouge devient donc au fil des années un véritable réservoir d'informations parfois pesantes qu'il faut tirer avec soi.

Fort heureusement, il se renouvelle et un certain nombre de ses scories se dissolvent d'elles-mêmes... Néanmoins, il reste en lui une lie où se cristallisent vos angoisses et vos réflexes primaires de protection ou d'agression. C'est bien évidemment cette lie que vous devez désincruster car elle représente un frein à la libération de vos tensions.

Il suffit maintenant pour la leçon... car vous allez me dire : « Que faire ? » Que faire en effet pour ne plus subir la contre-partie d'un élément indispensable à la floraison de la conscience ? La réponse est double, mes amis. Elle tient d'abord à la nature de vos aliments quotidiens, puis à celle de votre nourriture psychique.

Dans un premier temps, acceptez d'observer objectivement la composition de ce que vous absorbez chaque jour.

Quelle en est l'essence, la base, pour la plupart d'entre vous, telle que vos sociétés l'ont conçue ? La chair animale, le sang chargé des réflexes de l'âme-groupe de l'espèce et de la frayeur éprouvée lors de l'abattage. N'ayons pas peur des mots : vous ne mangez pas de la viande, vous ingérez de la peur. Celle-ci est semblable à une va-peur infiniment subtile qui s'immisce dans votre sang lui-même.

Je ne me fais pas ici le défenseur d'un végétarisme à tous crins. Chacun sait qu'il est de grands criminels que la seule vue de la chair animale répugne. Il ne suffit, hélas, pas de respecter la vie animale pour dissoudre en soi les tensions. Je vous dis simplement que vous devez essayer de supprimer la chair de vos aliments pour une plus grande maîtrise progressive de vos réflexes de crispation. Cet élément représente seulement une pièce du puzzle de votre reconstitution. Il n'en est pas la pièce maîtresse mais sachez que vous devez cependant voir en lui un de ses constituants nécessaires, un constituant que vous ne pourrez sans cesse contourner. Rien ne sert de vous imposer une violence à ce propos. Si une page ne se tourne pas d'elle-même dans votre conscience, il y aura toujours un chapitre de votre être que vous n'aurez pas parfaitement et totalement parcouru... Alors votre vie développera des raideurs car votre corps et votre âme sauront se rebeller à leur façon.

Lavez donc la base de votre sang par une nourriture psychique différente. Une telle nourriture, je vous le dis, porte un nom bien spécifique : c'est le Pardon.

Voyez en lui l'un des merveilleux dépolluants de l'Elément liquide par lequel la Vie se développe. Le Pardon est un briseur de chaînes... et les chaînes, admettez-le, ne se situent pas seulement chez celui qui a commis la faute. Avec un peu d'observation, vous les trouverez aussi chez la victime. Elles prennent le visage de la rancune, de la colère ou enfin de la haine. Encore une évidence certes, mais une évidence que vous acceptez de subir chaque jour. Combien de poignées de mains ou d'accolades évitez-vous chaque semaine ou chaque année ? Combien de regards fuyez-vous encore pour manifester votre mépris ?

Vous qui cherchez, apprenez que pardonner ce n'est pas simplement vouloir excuser, ni même oublier. Sans doute un pas est-il accompli par ces deux attitudes... mais le vrai pardon qu'il vous faut cultiver signifie autre chose. Il véhicule en lui la compréhension du mal dont souffre « l'autre » ; il est un pont jeté vers les rivages de la compassion. Le Pardon, voyez-le tel une gomme empreinte d'amour. Certes il peut être beau de savoir dire ou penser « je t'excuse » ou encore « je veux bien oublier ce que tu as fait » mais il faut reconnaître qu'il ne s'agit souvent que d'une mise entre parenthèse de nos griefs, une sorte de trêve qui laisse la blessure en filigrane. Le Pardon que l'Eau du Wésak vous demande, c'est la Paix, non plus cette manifestation infiniment subtile de l'ego qui « veut bien excuser » mais qui, le faisant, a ainsi l'occasion de manifester habilement sa magnanimité, sa supériorité.

Le Pardon suggère que « les vêtements de l'autre » soient habités par vous ne serait-ce que quelques secondes. Ayez le courage de tenter cette expérience, adoptez le regard d'autrui, ses faiblesses et ses forces, faites vôtres ce que vous pouvez imaginer de ses difficultés. Il n'en a pas ? Dites plutôt que vous ne les avez peut-être pas encore aperçues car nul ne blesse son semblable s'il ne porte pas en lui-même une vieille cicatrice incomplètement refermée.

D'ailleurs, en observant de plus près, vous verrez que cette cicatrice ressemble curieusement à la vôtre ; elle raconte l'histoire d'un chemin qui a été perdu, celui du Bonheur à l'état pur, sans artifice. Toutes les philosophies, toutes les religions s'effacent derrière cette notion et cette lumière : le Bonheur. Dès lors, pourquoi se compliquer la tâche tandis qu'un peu de simplicité, de spontanéité peuvent devenir de merveilleux ambassadeurs ?

On vous parle beaucoup de karma... tant et si bien que le mot lui-même commence à se banaliser derrière des concepts souvent flous ou erronés.

Qu'en est-il au juste ? Sachez que le karma n'est autre que la conséquence de la cristallisation ou au contraire de la fluidification de vos tensions, de vos raideurs et de tous les blocages qui gênent la libre circulation du fleuve de Vie en vous. Il est justement le fruit de cette absence ou de cette présence de Pardon que nous évoquons, le résultat de la solidification ou de la dissolution dans toutes les couches de votre mémoire, des désaccords que vous avez entretenus avec les manifestations du Vivant, en vous et hors de vous. Vous voyez le karma comme un compte à régler avec autrui alors qu'il représente d'abord un dialogue à entretenir avec vous-même.

Et quel est d'ailleurs ce réflexe de culpabilité qui ne vous en fait concevoir que l'aspect pesant ? Votre héritage karmique prend aussi la forme de toutes les beautés que vous avez su cultiver... même s'il vous semble avoir oublié celles-ci, car une récolte, soyez-en certains, ne se perd jamais.

Libérez donc votre sang de sa fâcheuse tendance à se coaguler psychiquement.

Maintenant, attablez-vous une fois de plus, prenez une feuille et votre plus belle plume. Je répète : votre plus belle plume… car il ne s'agit pas de rédiger un brouillon. Ce que l'on écrit de façon négligée et sur un mauvais papier n'est jamais perçu avec la même grandeur par la conscience incarnée. Cela vous paraît sans doute stupide mais c'est pourtant ainsi ; les belles et nobles choses doivent se formuler clairement et harmonieusement sur tous les plans si l'on veut qu'elles prennent leur pleine expansion. Cela fait partie de ces retrouvailles avec le sens du Sacré que nous soulignions tantôt.

Les avez-vous donc ce papier et ce beau stylo ? Alors établissez une liste, limpide et propre. La liste des raideurs, des angoisses et des pulsions dont vous êtes conscients et qui handicapent votre avance. Ne négligez rien, soyez honnête et prenez le temps qu'il vous faudra pour cela. Ne vous perdez pas en détails car en vérité, vos difficultés, sous leurs multiples visages sociaux, ne portent généralement pas plus de deux ou trois noms… seulement, vous avez l'habitude de les déguiser pour brouiller les cartes et avoir l'excuse de ne pas y voir clair ; c'est si simple afin de dissimuler paresse et orgueil ! Pour une fois, donc, faites preuve de lucidité et de concision.

Cependant, mes amis, je vous le demande, ne jetez pas négligemment les noms de vos tensions sur le papier. Offrez-les lui plutôt, puisque sous votre plume il est votre allié. Il va devenir votre ambassadeur et votre interprète. Auprès de qui ? De la Force qui correspond à votre cœur, à votre sensibilité. Ce peut être la Divinité ou encore la Supra Conscience, cet autre vous-même qui sommeille dans vos profondeurs. Mais comment peut-on offrir ses laideurs, ses petitesses à la Vie, vous demandez-vous ? On en fait simplement présent parce qu'elles ne sont autres que des moments passagers, témoins de notre douleur, sur le chemin qui mène au Soleil. Je vous l'ai dit : vous n'êtes ni vos bassesses ni vos limitations. Vous êtes un paysage dans lequel la Vie se cherche et poursuit son ascension. Offrir votre peine au monde et à cette Vie, c'est reconnaître que vous participez avec Amour à sa grande aventure.

Rédiger une telle liste ne nécessite pas que vous fassiez preuve de volonté. Ce serait plutôt une tâche de confiance et d'abandon des résistances personnelles. Confiez-vous à cet Amour qui couve en vous, sous les broussailles.

Lorsque vous en aurez terminé, prenez votre feuille et faites-en, comme un enfant, un bateau de papier. Alors, dès que l'occasion s'en présentera – mais peut-être faudra-t-il la provoquer – vous irez déposer celui-ci sur l'eau d'une rivière après en avoir enflammé le mât. Vous accomplirez ce geste avec joie car ce sera une réelle offrande ainsi qu'un début de résolution des germes de vos tensions... Méditez bien cet acte.

Laissez-moi maintenant vous parler de l'Eau, sous une autre forme... une forme qui peut-être vous déroutera tout d'abord mais qu'il vous faut découvrir car c'est elle qui, pour une bonne part, va contribuer au renouvellement de votre monde.

Cette Eau prend l'apparence de la Femme. Je n'évoque cependant pas seulement la femme par opposition à l'homme, mais aussi en tant que principe universel dont l'action purificatrice et germinatrice s'apprête à inonder la Terre. Je veux donc parler de la Femme en la femme et de la Femme en l'homme. Ne voyez en cette formule aucun intellectualisme. Par elle je tente de vous faire appréhender l'aspect aquatique et féminin qui d'ores et déjà est le signe de l'avènement proche du Verseau.

Ce qui grince sous la rouille dans l'humain de cette époque, c'est le principe mâle. Voilà des milliers d'années que les vents de la croissance universelle lui ont confié un gouvernail et qu'il s'est frotté à tous les récifs. Aujourd'hui, le navire prend l'eau non parce qu'il a brisé sa quille mais au contraire parce qu'il a durci excessivement sa coque. Il en a fait un élément par trop étranger à l'océan qu'il traverse, une véritable puissance rebelle. Ainsi la polarité masculine est-elle lentement devenue renégate face aux courants fluides des mondes dont la loi d'Amour absolu passe par la communication. Dites-moi amis, comment la Force de Vie pourrait-elle continuer à se communiquer s'il n'y a ni cœur ni oreille pour l'entendre et la recevoir ? Je vous l'affirme, le principe mâle qui gesticule en chacun de vous a entamé un monologue sous sa croûte d'autosuffisance... et aujourd'hui, voilà qu'il étouffe sans oser se l'avouer. Ne vous raidissez pas, rien ne sert de lutter contre le principe féminin qui vient vers vous et dans lequel vous pouvez entrer comme dans une onde pure car nul ne peut croître à contre-courant de la Vie. La sagesse et l'amour recommandent au contraire d'épouser ses ondulations.

Faites le point : il est plus que temps que vous redéfinissiez la notion du féminin en vous. Ne croyez pas qu'un seul d'entre les humains soit exclu de ce propos. Je m'adresse aussi bien à vous, hommes virils ou qui se disent tels, hommes rationnels et sûrs d'eux, qu'à vous femmes qui vous clamez libres mais aussi souvent femmes-façades. Le pôle féminin que le Wésak s'apprête désormais à décliner avec force n'est pas nécessairement ce que vous voudriez qu'il soit. En vérité, il ne signifie ni le moins ni le plus en fonction de la position qui est vôtre. Le moins et le plus, ces deux signes de la grande pile universelle, sont des points de repère commodes pour le mental humain mais la valeur qu'on leur attribue n'est rien d'autre qu'arbitraire dès qu'elle s'entoure de notions morales. Sachez-le, ce que vous appelez féminin et masculin, négatif et positif, vous pouvez aussi le dénommer creux et crête de vague... ou vague seule tout simplement... car, dites-moi du creux ou du sommet ce qui fait la vague ?

Aucun relativisme affadissant ne doit naître d'une bonne compréhension du Principe de complémentarité. Aujourd'hui, puisque le féminin s'apprête à vous conduire sur la crête de la vague, ressentez-le telle une eau de renouvellement. Le grand coup de balai qu'il induit évoque en apparence une destruction de ce que vous croyiez être des bases solides, mais en réalité il se pose en tant qu'artisan de votre rénovation.

L'Eau féminine du Wésak a aussi pour noms Confiance et Intuition, Souplesse et Humilité. Si vous la comprenez bien, vous verrez qu'elle ne cherche pas à inonder puis à s'approprier les terres aux reliefs mâles. Sa tâche est seulement d'en adoucir les pics et les rivages, d'en dissoudre les concrétions exagérément tendues. Elle veut faire surtout fleurir l'Ecoute dans la glaise de votre cœur, empêchant celle-ci de se dessécher. Mais, savez-vous au juste ce qu'est cette Ecoute que les Temps vous demandent ? C'est le fait de mettre votre « moi-je » un peu plus en sourdine qu'auparavant... non pas en vous niant, comprenez-moi, mais en ne vous brandissant plus comme un étendard de vérité face aux autres. Cessez de croire que c'est votre vérité qui vous bâtit. Certes elle vous procure une armure par laquelle des empires sont parfois édifiés mais cette fois c'est de vous dont il s'agit, bien au-delà de vos projections.

Ecouter ne signifie pas seulement ouvrir son mental à l'autre ; c'est laisser grandir l'oreille intérieure et le cœur, jusqu'à percevoir le mouvement de la Vie en soi, c'est-à-dire une approche de la Juste Mesure, sans qu'il soit besoin d'argumenter quoi que ce soit à qui que ce soit.

Vous souvenez-vous de la dernière fois où vous étiez seul dans une pièce close ? Vraiment seul... je veux dire sans lecture qui retienne votre attention et sans musique humaine ni discours pour alimenter vos oreilles. Peut-être cela est-il si lointain que vous en avez oublié les circonstances, peut-être au contraire en avez-vous gardé un souvenir pénible. Quoi qu'il en soit, je vous suggère de rechercher à nouveau l'expérience, non pas comme vous ingurgiteriez un remède nauséabond, presque pour contenter le médecin, mais dans le but de découvrir un appartement de plus dans votre monde secret. C'est un appartement dont vous craignez sans doute qu'il soit poussiéreux mais peu importe ; centrez-vous d'ores et déjà sur ses immenses baies vitrées.

Dans votre solitude, écoutez maintenant ce qui se passe en vous, non pas l'enchaînement désordonné de vos pensées mais au-delà d'elles, vers ce qui paraît être au centre même de votre crâne. Peu importe que vous gardiez les yeux ouverts ou que vous les fermiez. Prêtez bien attention à ce qui se passe. Ne percevez-vous pas dans le silence comme un bourdonnement ou un sifflement au plus profond de vous ? Est-ce fait ? Alors, laissez-vous aller et voyagez plus loin dans l'écoute de ce son, allez dans son cœur. Vous en percevrez un autre, plus fin, puis un autre encore plus subtil lui aussi, jusqu'à l'inaudible. Là, peut commencer la Paix dans cet océan qui est vous, loin des remous de surface. Cette onde qui circule et qui siffle en vous, c'est votre courant de vie. Vous l'appelez parfois aussi votre prâna. Plus son chant est fin plus il vous invite au voyage vers des couches profondes de votre être.

Il ne s'agit pas là d'une méditation au sens où vous le comprenez généralement, mais plutôt d'une visite de votre potentiel récepteur féminin, si vous préférez. Ce que je vous propose d'écouter régulièrement ainsi ne se résume pas simplement à un son ni même à une série de sons-gigognes. C'est un véritable chant, celui que les énergies de Vie, chaque année renouvelées par le Wésak, stimulent en vous. Vous pouvez y découvrir la véritable graine de la confiance et de l'intuitivité qui caractérise le pôle féminin de la Nature Universelle. Bien comprise, mes amis, une telle attitude d'écoute intérieure et d'abandon des résistances mentales ne s'oppose aucunement à un réel enracinement dans ce que vous appelez le monde concret. Elle en soutient au contraire toute la justesse et l'efficacité. Ainsi symboliquement, si vous le souhaitez, votre main gauche vient-elle chercher votre main droite pour la placer avec elle au niveau de votre cœur. Ainsi, aussi en ce Wésak et en cette ère qui s'ouvre, la femme qui s'éveille en chacun de vous doit-elle venir stimuler puis réguler l'homme qui s'agite en vous, l'homme fatigué de sa ronde sans fin. La confiance active sera une des sources de votre régénération, n'oubliez pas cela.

L'eau fait à la fois office de liant et de dissolvant. Elle unit le masculin au féminin et libère en les gommant les impuretés. De cette façon, le principe mâle qui vit en chacun peut accepter de nettoyer son cœur par le canal de ses yeux sans s'en trouver diminué. Une larme peut avoir sa propre grandeur.

Bien des choses en vérité sont à réformer dans votre vision de l'équilibre du monde, des sociétés et bien sûr de votre propre équilibre.

Qu'est-ce qui est digne d'être masculin ou féminin ? Qu'est-ce qui est véritablement fort ou faible, dominant ou dominé selon vous ? Quels sont les critères selon lesquels vous vous torturez mentalement ? Tachez de définir clairement le moule dans lequel vous cherchez vainement à vous fondre et vous accomplirez un pas de plus dans la compréhension du bourreau que vous êtes souvent envers vous-même.

Lorsqu'un nouveau règne – c'est-à-dire une nouvelle sensibilité – s'ouvre, comme c'est le cas aujourd'hui, chacun s'accroche aux vestiges de l'ancien monde qui s'effrite. Ainsi les femmes elles-mêmes courent-elles parfois, croyant se révéler, à la rencontre des vertus dites masculines. Pourquoi de tels déguisements ? Il faut coûte que coûte se défaire de ce vieux réflexe de « vouloir avoir l'air de... » Que vous ayez été dotés d'un corps d'homme ou de femme, soyez vous-mêmes, bien au-delà de ce que les modes décident comme appartenant à un sexe plutôt qu'à l'autre.

Si vous dites non à la pseudo fatalité de la souffrance, commencez par dire non à tout ce qui est factice, c'est-à-dire aux modèles qui vous sont imposés. L'amour de soi est une pierre angulaire dans l'édifice de votre reconstruction et un tel amour, vous le savez bien, ne saurait réellement s'épanouir chez celui qui aujourd'hui dans votre monde adopte le profil du mouton. Je vous le répète laissez-vous porter par les ondulations de la vague de Vie mais évitez de vous laisser submerger par les courants tourbillonnants des modes. L'Eau du renouvellement féminin qui se déverse lentement sur le peuple humain ne naît pas du désir changeant d'on ne sait quelle force. Sur le Grand Cadran universel, celui qui est lié à l'éclosion de l'Amour en vous, elle sonne assurément une heure juste et nécessaire. Désormais, vous ne serez plus ni l'homme qui décide et qui sait, ni la femme qui subit ou se rebelle. Vous serez davantage en chemin vers vous et c'est cela qui compte.

Tout cela est bien beau, me direz-vous, mais le Principe de l'Eau ne cache-t-il pas encore autre chose ? Dans une vision plus étendue, n'est-il pas en rapport avec les forces sexuelles ? Evidemment il l'est et c'est à ce point précis que j'attendais vos interrogations. Ne croyez pas cependant que je m'étendrais longuement dans cette direction, au grand dam de ceux qui estiment qu'un écrit n'est jamais complet tant qu'il n'a pas consacré quelques pages à ce domaine. J'en parlerai donc peu disais-je parce que l'énigme et l'obstacle que représente l'énergie sexuelle ont été depuis des décennies exagérément grossis par certaines forces de déstabilisation.

N'en déplaise à quelques bastions, la puissance sexuelle est identifiable à un des langages du Divin en perpétuelle expansion dans les mondes. En ce sens, elle mérite le respect et doit retrouver la sacralisation dont l'avaient déjà dotée certains anciens peuples. Il vous appartient à tous de révéler en elle ce possible outil du Beau qu'elle est en vérité de toute éternité. Vos sociétés viennent de briser leurs tabous dans ce domaine. Cela était nécessaire mais qu'elles prennent garde car en supprimant certains interdits elles pourraient bien édifier d'autres tabous. Ne serait-il pas bientôt montré du doigt celui qui parle d'un amour simple, sans artifice et sans pudeur hypocrite. La force sexuelle ainsi que toutes les énergies du prisme de la vie ne manifestent en elles-mêmes ni ombre ni lumière au sens où nous comprenons celles-ci mes amis. La force sexuelle se situe derrière l'horizon de ces deux principes. Elle est une des racines de notre manifestation en ce type de monde, elle nous relie à la Source première et à la Promesse de notre devenir. Voilà pourquoi elle fait l'objet de telles luttes.

Viendra un temps où l'on pourra regarder un sexe avec autant de naturel et de simplicité que vous le faites d'une main ou d'un œil.

Le germe de cette époque peut déjà surgir en vous aujourd'hui. Il suffit que vous le décidiez et que vous compreniez que le bercail où vous êtes attendus n'est pas un enclos puisqu'il donne à la liberté une autre définition que toutes celles que vous aviez imaginées. Ainsi, la véritable et grande liberté, celle de l'Eau qui se diffuse, est-elle à découvrir en marge des morales car elle est un rayon qui jaillit du cœur, hymne vivant à l'équilibre total.

En agissant de la sorte, vous participez à l'action de dégonflage de vos sociétés-baudruches. Il ne s'agit pas d'un mouvement de révolte car on ne saisit pas le vent. Il s'agit plutôt de ne pas souffler dans une autre direction que celle du zénith. Alors c'est l'amorce des Retrouvailles. Maintenant que tout ceci se trouve défini, êtes-vous toujours prêts, non pas à me suivre, mais à vous rapprocher de vous-même ?

Il n'est nul besoin que vous me répondiez par un oui ou par un non car vous savez fort bien désormais que c'est à vous surtout que la réponse s'adresse.

Chapitre III

Eteindre les braises de l'ego

Dans l'écrin dépouillé de la grotte, notre âme éprouve maintenant le besoin d'observer une pause. Le vieillard au visage de cendre l'a sans doute ressenti car la flamme de son regard s'est apaisée et son large sourire nous ouvre la porte vers une douceur inconnue. Nous voudrions tout stopper là, figer l'instant... ou peut-être rejoindre nos corps, de peur de ne plus rien savoir et d'oublier nos racines en cette vie... Mais rien n'y fait ; il est des moments où la volonté personnelle est subjuguée par quelque chose de tellement fort qu'elle éprouve un délice à s'annihiler plus encore. C'est peut-être cela le début de la paix...

Pourtant, par nous ne savons quelle brèche de l'ego, une question est encore là, toujours identique, celle-là même qui, nous le pensions, s'était enfuie de nous. Une question que nous savons futile, illusoire mais qui brûle...

« Qui es-tu, vieil homme ? Qui es-tu donc ? Comment croire à la profondeur de tes rides alors que les chemins asphaltés de notre monde te semblent si familiers ? »

Pour toute réponse, deux paupières se ferment face à nous, deux paupières qui laissent plus de place à un sourire qui n'en finit pas de s'élargir, qui interroge, qui sonde, qui aime.

Peut-être la résolution des désirs tient-elle en ces points mystérieux de la commissure des lèvres, ces points presque imperceptibles où la détente de l'être se met à parler sans mot… Qui sait combien de fois chacun de nous a su comment se dégager du carcan social pour oser le vrai sourire, sans crainte de jugement ? Il nous semble soudain qu'une partie du Secret soit là, exposée à tous, si simplement.

« Passe à travers toi » lance alors le vieillard, toujours immobile et paraissant nous confondre en un seul être. « Oui, passe à travers toi et rejoins-moi là où je suis. »

Son appel a claqué comme un fouet et nous sentons aussitôt nos lèvres se détendre pour exprimer un étrange souffle, quelque force qui n'était pas nous et que nous retenions.

« Amis, les lèvres qui s'entrouvrent et se décrispent sont comme un poing qui se desserre. Ce qui vous brûle peut s'en échapper, *doit* s'en échapper, si vous le voulez vraiment d'amour. »

« D'amour ? C'est un mot si vague ! Amour de quoi ? L'obscurité elle-même paraît avoir fait sienne un tel vocabulaire… »

« Voilà pourquoi je ne vous suggère pas de prononcer son nom dans le labyrinthe du langage à chaque instant de votre vie mais de le laisser rayonner. La Lumière de l'Esprit parle par la lumière du corps, l'ignorez-vous ? Ainsi, apprenez à ne plus alimenter dans votre enveloppe charnelle un certain feu qui vous dévore. Laisser poindre la Lumière à travers soi n'a rien de commun avec le fait de vouloir prouver la présence de celle-ci. Aimer, c'est justement ne rien avoir à démontrer. Regardez-vous tous ! Dans quelle croisade vous êtes-vous laissés enrôler ? Vous aspirez tous au bonheur et pour vous faire aimer, pour aimer, vous vous acharnez à prouver l'excellence de votre vision, de votre rayonnement, puis la justesse de vos comportements. C'est ainsi que vous vous épuisez et que sans cesse vous tirez voile après voile entre vous et vous. Lorsque je vous dis « passez à travers vous », je vous invite à redécouvrir l'authenticité jusque dans la décrispation de toutes vos fibres musculaires. Le sourire de la tendresse est une des clés de cette détente. Il est une invitation à ne plus faire de soi un homme-revolver, constamment sur la défensive et prêt à l'agression.

Pendant quelques temps, efforcez-vous de relever chaque jour le nombre de fois où un véritable sourire se dessine nettement sur votre visage. Peut-être serez-vous surpris car je ne vous parle évidemment pas de ces sourires que l'on construit par simple politesse, voire par calcul, même à demi-conscient. Ceux-là sont une monnaie d'échange dénuée de toute substance de vie. Ils sont le masque mercantile dont vous avez précisément résolu de vous débarrasser car l'une des racines de cette sorte de cancer dont vous êtes tous atteints est bien là : « je te donne si tu me donnes..., je t'aime à condition que tu m'aimes. » Tout cela, mes amis, signifie par conséquent « abandonne-toi, offre-toi d'abord, alors, seulement je verrais si moi aussi je peux m'offrir. »

Il y a en chaque humain un réflexe de vieux caravanier rompu à tous les marchandages qui surgit à chaque instant comme si son équilibre vital en dépendait. Rien ne sert de dire « c'est l'ego qui réagit en toute logique, car il a été tant de fois trompé ! » Etablir un tel constat revient à creuser davantage l'ornière où l'on s'est embourbé, à écarter plus encore les lèvres de la plaie dont on souffre.

Voilà pourquoi je vous demande, à compter d'aujourd'hui, d'ouvrir les yeux en toute honnêteté sur ce feu intérieur qui vous grignote parce qu'il a fait de vous le centre d'un certain univers. Cet univers-là, voyez-vous, est bel et bien clos ; il fonctionne avec une règle du jeu dont vous êtes l'auteur et le seul détenteur. Voilà son drame : il tourne en circuit fermé, saturé de sa propre énergie. En ce sens, le principe de sa mort est déjà posé dès l'heure de sa naissance puisque son cœur ne se montre jamais émissif. Le Wésak aujourd'hui renouvelé dénoncera sans cesse et de plus en plus clairement un tel feu. Ne voyez-vous pas à quel point vous vous consumez dans le désir ardent d'attirer à vous ? Vous voulez jouer au soleil mais vous avez mal observé le soleil. Il est le centre de tous les espoirs, le symbole des symboles non parce que tout va vers lui mais parce que tout est offert par lui. Voilà encore une évidence, je le sais fort bien, mais une évidence que vous ne comprenez pas puisque vos comportements reflètent une inversion de la loi naturelle. Le feu devient destructeur dès qu'il se gorge de lui-même. Ainsi l'ego de chacune des cellules qui constituent l'humanité est-il gonflé de sa propre suffisance.

Acceptez enfin de faire le point et interrogez ce brasier qui s'exprime quelque part vers le creux de votre estomac : quoi qu'il advienne, il croit avoir réponse à tout et ordonne. C'est lui qui, en vous, croit savoir *ce* qu'il faut penser et *comment* il faut le penser ; c'est lui qui juge de la façon juste de se vêtir, de se nourrir, de regarder autrui, de parler même. Ainsi, ce n'est pas vous qui vivez et dirigez vos pas mais lui à travers vous, c'est-à-dire un étrange instinct qui vous ramène sans cesse à l'univers du « moi je ». Pour une fois, en ce jour de l' Amour-Sagesse et pour tous ceux à venir, ne vous croyez pas exclus du propos. N'est-ce pas « moi-je » qui sait pertinemment ce qu'il convient de lire, qui dit savoir où se situe la « véritable spiritualité » ? Dans le silence de votre chambre, dans un lieu secret de la nature, osez lui parler ouvertement à ce « moi-je » quotidien. Adressez-vous à lui à voix haute et demandez-lui *qui* il est au juste et ce qu'il veut. Trouvez-lui un nom s'il le faut... Certes pas un nom que vous n'aimez pas, même si tout en son crépitement flamboyant vous excède, car ce n'est pas à un ennemi que vous allez vous adresser.

Vous me direz « Comment ? Comment ce feu qui nous ronge, cet ego, ce soleil inversé, cet usurpateur n'est-il pas un ennemi ? »

En vérité, non, il n'est pas un ennemi car l'autre Soleil, le seul, le véritable Feu qui vous anime ne peut en avoir. Celui-ci a fait de votre ego un outil, un intermédiaire entre votre devenir et vous-même. Le soleil de l'ego représente le baromètre de votre ascension ; vous devez regarder ses courbes avec détachement sans vous identifier à lui. Ses variations sont comme la respiration de la Vie qui se cherche à travers vous. Si votre tâche est de permettre au véritable Soleil de les réguler en vous, rien ne sert de les haïr. Les imperfections de votre personnalité inférieure se nourrissent trop bien de leurs propres déjections. Ainsi, le mépris envers ce faux vous-même qu'est le feu dévorant, favorisera-t-il une plus forte implantation de ce dernier.

Je vais vous confier un secret : il est une chose que le nombril de tout homme redoute. Cette force s'appelle le rire. Ce fantôme que vous appelez ego ne supporte guère de ne pas se voir pris au sérieux, c'est-à-dire que l'on adopte un autre langage que le sien. Ainsi donc, en vous adressant à lui, en lui donnant un nom, en le regardant de loin « par l'autre bout de la lunette », vous allez le dérouter quelque peu et mieux le cerner. Alors, vous verrez, vous verrez que s'il a tant besoin d'être pris au sérieux c'est qu'il a peur... et vous savez pertinemment pour l'avoir expérimenté que la peur génère l'agression soit envers soi, soit envers autrui.

Faut-il donc recommencer une fois de plus le cycle sans fin des auto-analyses, la ronde des psychodrames où l'on exprime souvent avec violence ses frayeurs et ses refoulements ? Cela sera pure perte si, une fois identifiées vous ne parvenez pas à aimer vos peurs et vos impuissances comme autant de jalons, autant d'états passagers de la Lumière qui se révèle en vous. La chaleur de cet amour-là ne sera pas le fruit d'une analyse sèche, mais d'une compréhension et d'une tendresse infinies.

Le feu erroné naît invariablement d'un extraordinaire sentiment d'infériorité qu'il vous faut coûte que coûte mettre à jour. Tout être qui a compris la noblesse de son essence et la luminosité de son devenir entre de plain pied dans celui-ci et n'a nul besoin de prouver quoi que ce soit, car il expérimente le fait d'être une promesse vivante en état de réalisation. Cette phase, mes amis, restera à jamais un alignement de grands mots si elle ne rencontre pas en vous une volonté de ne plus alimenter le feu de la routine. Sentirez-vous l'heure de vous écrier « stop ». Stop à ce qui fait de vous un robot réagissant mécaniquement à la moindre de ses passions. Stop aux caprices de cette apparence de vous-mêmes qui se réfugie sans cesse dans des réflexes d'auto-protection. Expulsez-vous de cette tension née du mensonge que vous vous racontez chaque jour en posant le pied sur le sol. Pour *quoi*, pour *qui* vivez-vous ?

Ecoutez maintenant ceci : afin de mieux oxygéner l'organisme et d'éloigner de l'être cette maladie à la mode que l'on nomme angoisse, on vous conseille souvent d'apprendre à mieux respirer. Rien n'est plus juste puisque vos poumons et le système qu'ils développent sont le lieu d'échange privilégié entre l'infini qui sommeille en vous et celui que vous percevez hors de vous. Rien n'est plus juste si ce n'est que l'on omet généralement de vous parler de l'expir. En effet la qualité de celui-ci conditionne en grande partie la qualité du mécanisme respiratoire. Savoir expirer requiert tout autant un état d'être ou si vous préférez un ressenti particulier, que l'acte d'inspirer. Le niveau de conscience qu'on lui consacre devient alors un allié de votre libération. Par l'expiration, ce n'est pas simplement de l'air usé, vicié, que vous expulsez de vous, ce peut être aussi l'anxiété qui vous accable et qui va tendre vos muscles à votre insu.

Ne croyez pas que je vous suggère de travailler sur vous à partir d'un symbole ou d'une analogie, quoique le monde des symboles soit bel et bien vivant et susceptible d'apporter une aide merveilleuse à chacun. Je veux vous faire comprendre à quel point le microcosme de vos pensées et de vos tensions pénètre la moindre de vos cellules jusqu'à faire de la totalité de vos tissus leur champ d'action.

Une peur, une angoisse, une crispation mentale ainsi que le cortège des pensées qui les alimentent sont autant de moteurs que vous lancez jusqu'au tréfonds de vous-même, ce sont des potentiels énergétiques qui vont se greffer sur la structure subtile de l'air que vous inspirez et qui, bien sûr, voyage à travers votre corps. L'expiration ne consiste donc pas seulement à éliminer les gaz impropres de votre organisme. Elle permet, si elle est correcte, d'expulser ces micro-organismes agissant sur un mode vibratoire qui leur est propre et empêche ainsi l'incrustation de raideurs jusqu'au cœur de votre organisme.

Il y a donc, vous devez en être conscients, une chimie, une biologie – oserais-je dire –, de l'esprit qui dépassent dans tous les cas le cadre du visible.

Ainsi, mes amis, si vous avez le bonheur de pouvoir consacrer quelques instants par jour à une pratique de respiration consciente, accordez tout autant d'intérêt à ce que vous rejetez qu'à ce que vous inspirez. Mais ce bonheur, reconnaissez-le, n'est un luxe pour personne. Il peut se découvrir en toutes circonstances et en tout lieu, seraitce même la plus sombre des prisons.

Le brasier de vos rancœurs, de vos impuissances et de vos peurs n'est en aucun cas inextinguible. Il suffit, voyez-vous, que vous le considériez différemment ou tout simplement que vous commenciez à l'observer... car, la plupart du temps, admettez que vous vous consumez en son centre, sans jamais avoir pris la peine de vous élever au-dessus de ses flammes un seul instant, afin de savoir de quels ingrédients il est fait. Tout ce que vous savez, c'est que quelque chose vous brûle depuis votre naissance. Demandez-vous alors : est-il concevable de ne pas avoir eu ne serait-ce que la curiosité d'identifier ce « quelque chose » ? Certes, il est infiniment plus simple de le faire endosser par autrui. Aussi cette solution, cette résolution devrai-je dire, a-t-elle été la vôtre jusqu'à présent.

Vous vous révoltez, vous vous tendez parce que l'autre n'a pas été juste envers vous, parce qu'il menace votre vision des choses, déséquilibre vos conceptions intérieures, peut-être aussi parce qu'il vous a pris ce que la vie avait placé entre vos mains. Tout cela, je vous le dis, ne représente qu'un aspect de la question, l'aspect restrictif qui vous maintient au centre de votre feu dévorant. Peut-être d'un regard purement humain, « l'autre » a-t-il en effet été injuste envers vous, peut-être vous a-t-il volé, blessé, déséquilibré... Il en sera toujours ainsi de « l'autre »... jusqu'à ce que vous ayez compris qu'il existe une force, un autre feu, qui vous appelle à développer un regard plus qu'humain, supra-humain.

Celui en qui vous voyez l'ennemi ne pourrait-il pas avoir été placé sur votre route pour vous enseigner à sa façon, c'est-à-dire pointer le doigt sur ce qui, en vous, demeure encore faible.

On vous a volé ? Pourquoi donc ? Quel est ce lieu de votre être, en manque de paix, qui en a été touché ? Faites l'effort de l'identifier, allez jusqu'au bout de la démarche en cherchant le pourquoi du pourquoi sans faire de concession. Promenez-vous dans les méandres de vos raisons, de vos prétextes, ainsi que l'on découvrirait un jardin pour la première fois. Là, vous n'êtes même pas jardinier, mais un simple promeneur, libre de faire ses remarques. Voilà ce que la sagesse du Feu régénérant du Wésak vous suggère : soyez libre de faire vos remarques car celui dont vous analysez la chaîne des arguments n'est pas vous, mais la marionnette que vous agitez. Seule une prise d'altitude vous permet de sortir du labyrinthe. N'attendez donc pas que la réforme surgisse d'autrui, car le chiffre « deux », sous toutes ses formes, fait partie de la logique de la vie et il y a mieux à faire qu'à le combattre.

Au-delà du chapelet de vos raisons, vous découvrirez, peut-être enfin que la racine première de vos tourments s'appelle l'orgueil. Orgueil face au fait de ne pas être reconnu comme étant le soleil, mesure de tout, orgueil de ne pas avouer avoir fait fausse route puis avoir été blessé. L'orgueil, vous le savez, ne dilate pas les âmes mais les rétracte. Osez donc vous dire « je me suis trompé... »

Pourtant, ne vous méprenez pas, mes amis, car une telle optique ne vous permet nullement de vous désintéresser des douleurs de ce monde. Elle ne doit pas semer en vous la graine d'une froideur qui fait regarder toute épreuve comme inéluctable. Votre monde est à rebâtir. Vous le reconstruirez, pierre après pierre, avec détachement mais non pas avec désintérêt. Il y a des colères justes qui doivent entraîner des réactions justes. Tant de situations imposées aux hommes en ce monde par leurs semblables sont insupportables en regard de la plus élémentaire logique du cœur. Cependant retenez bien ceci : la colère et l'action justes ne sont nullement une expression du feu des passions. Elles doivent répondre à un souci de paix... Qui pourrait faire découvrir à autrui ce qu'il n'a pas lui-même au moins commencé à révéler en soi ? L'horreur doit être annihilée mais pas au moyen d'une autre horreur qui bouillonne au creux de votre estomac. Vous ne la subjuguerez que par une attitude entraînant des actes vides d'émotions et de pulsions, des actes imprégnés d'amour, aussi timide celui-ci soit-il à son début !

Ne soyez pas surpris de voir votre monde en proie aux violences, aux maladies et à ce que vous nommez « dépression » car il se produit en lui ce qui se produit en vous. Vous aussi, vous êtes un chef d'état capable d'agir comme un tyran. Vous en apportez chaque jour la démonstration en manipulant tout ce sur quoi vous pouvez avoir la moindre emprise, à commencer bien sûr par vous-même. Afin de cesser cette manipulation, il vous faut découvrir le respect, premier pas indispensable vers l'amour. Ainsi, si vous ne parvenez pas à respecter telle fonction sociale, telle attitude, apprenez à respecter l'être qui se cache derrière, car celui-là est sacré. Bien sûr, cela demande un apprentissage de la volonté... aussi puis-je vous le répéter ici même : vous ne ferez rien, pas un pas vers vous, si vous n'avez pas d'autre intention que celle de tourner les pages d'un livre. L'Amour-Sagesse est une fleur de la volonté.

Vous me dites maintenant qu'il est difficile de vouloir... Quelle erreur ! Cela vous semble ainsi parce que vous vous imaginez que cette sorte de volonté demande une tension de tout votre être, un effort soutenu de votre psychisme. Si vous pensez cela, vous avez une vision diamétralement opposée à la réalité des choses. La volonté que la Vie attend de vous n'a rien de commun avec l'effort tendu à l'extrême d'un coureur de vitesse. Je dirais plutôt qu'elle ressemble à un abandon actif des résistances personnelles. Elle est une action durable dénuée de passion. Elle fait de vous un coureur de fond qui donne à son parcours l'intensité d'une méditation. En effet, son endurance ne tient pas à la résistance de ses muscles mais à la décrispation de son psychisme qui apprend à ne plus se centrer sur la possible douleur. Ainsi, voyez-vous, la volonté d'éteindre les braises de l'ego est étrangère à la notion de « volonté personnelle ». Elle rejoint l'idée élevée du « vouloir divin », lequel est un canal de Vie, fruit d'une inébranlable confiance agissante.

En peu de mots, mes amis, vous devez vouloir avec la joie de ceux qui sont déjà parvenus au but, ce qui veut dire sans raideur, sans barrière puisqu'il est entendu que vous n'avez rien à démontrer. Tout cela est en fait extraordinairement simple. Je sais parfois que vous confondez la confiance agissante avec une sorte de soumission béate à une force extérieure à vous, une force qui crée des rêveurs. La confusion naît de ce que vous situez justement cette force à l'extérieur de vous-même tandis qu'elle fait partie intégrante de votre nature. Nommez-la Dieu si cela s'accorde avec vos conceptions, peu importe. Ce qui compte, c'est que vous sentiez intimement que l'extinction du feu de l'ego consiste à abandonner consciemment les rennes du quotidien à votre Essence. Dorénavant, c'est Vous qui allez vouloir à travers vous ! Peut-être préférez-vous déclarer que c'est votre Christ ou votre Bouddha intérieur qui agit ainsi mais cela reviendra au même car, au-delà de leur réalité historique, le Christ et le Bouddha sont les Principes, les champs de conscience qui vous animent depuis l'aube des Temps. Ils représentent votre cœur et votre conscience par-delà toute notion religieuse. Si vous avez besoin de leur bâton comme d'un pivot autour duquel vous allez vous déployer, empoignez-le mais cela n'empêchera pas le véritable dialogue de s'établir entre Vous et vous.

Les deux grandes lumières jumelles de l'Orient et de l'Occident ne joueront pas le rôle des extincteurs d'ego que l'on s'acharne encore à leur faire endosser. Elles sont des rappels vivants, des batteries sur lesquelles vous pouvez constamment vous placer en charge mais le seul Messie qui agira définitivement en vous, c'est Vous. C'est pourquoi, mes amis, mes frères en tous points, il vous faut résolument vous tourner vers l'Autre Feu, celui qui a rassemblé les hommes dans cette vallée himalayenne. Ne vous précipitez pas pour accomplir le voyage physique puisque celui qui vous est demandé et qui est votre raison d'être en ce monde tient en tout et pour tout à un autre regard que vous allez porter sur votre réalité. Ce regard-là, je vous l'assure, percevez-le tel un regard authentiquement solaire. Cela signifie que, reconnaissant la Flamme en lui, vous le retrouvez comme un Don permanent, une sphère d'Amour totalement présente là où la vie la mène.

N'omettez pas d'étudier votre langage, de temps à autre. Ainsi, lorsque vous affirmez : « je suis présent à tel endroit » cela signifie-t-il que vous y êtes réellement « présent » ou que vous êtes seulement et banalement « là ». Je veux dire que votre conscience n'habite pas aussi souvent et en totalité votre forme incarnée que vous en avez la croyance. Etre présent, c'est avant tout ne plus se projeter ni vers le passé ni vers le futur mais vivre la seconde qui s'offre.

« Cela est bien facile à dire, me répondrez-vous, encore une jolie phrase de philosophie ou de métaphysicien ! Pourra-t-on jamais en réalité incarner un tel idéal ? »

A cela, je vous rétorquerai : regardez les animaux. Ils représentent, dans ce domaine, l'exemple vivant de ce que vous avez à trouver. L'animal est pleinement là où la vie le mène, en symbiose avec toutes les forces de chaque seconde où il respire. Sa conscience se déplace dans le présent, elle lui permet une expansion où il acquiert toute sa valeur. Ne croyez pas que cette perception conduise à une réduction de ce que vous appelez la vie. Il ne s'agit ni de pétrification, ni d'immobilisme, mais plutôt d'unification car cela ne s'oppose ni à l'espoir ni à toute sorte de croissance. Cela consiste plutôt à la mise en pratique constante de la confiance et du développement. Ainsi, le bonheur n'est-il pas un éternel projet qui recule devant soi. Il n'est pas en devenir mais au contraire en perpétuelle création. Son élaboration, sa redécouverte sont vécues avec joie.

Nul ne vous demande, bien évidemment, de redevenir semblable aux animaux. En vérité, vous avez déjà expérimenté pendant des milliards d'années un état de conscience analogue au leur... et si vous l'avez abandonné c'est justement parce qu'il y avait quelque chose d'autre à vivre au-delà. Il vous faut uniquement retrouver la quintessence de ce que la Vie avait fait fleurir chez vous en ce temps-là et la ramener au cœur de ce que vous avez découvert depuis : une autre forme de liberté et de croissance, un autre visage de l'amour. La reconnaissance de la richesse du Présent n'est donc pas, voyez-vous une notion que vous devez acquérir. C'est une notion qui est déjà enclose en vous mais que vous avez lentement recouverte des multiples couches du doute et de la peur. Il vous faut donc une fois de plus muer, c'est-à-dire perdre une coquille plutôt que revêtir un nouvel habit. Cessez de vous accrocher aux feux follets dans lesquels vous placez votre raison d'exister : le puzzle des ingrédients qui vous ont moulés aux normes d'une certaine société... puisque le Feu de toute beauté qui vous habite en réalité est hors normes.

Contemplez-vous un instant : vous êtes une croix. Votre malheur vient de ce que vous voyez en elle, en vous, l'instrument d'un supplice. Votre bonheur peut naître maintenant de ce que vous allez considérer en elle, en vous, la croisée des chemins, la rencontre du Ciel et de la Terre, de l'Eau et du Feu.

Les Anciens, lors de certains rites, faisaient surgir une flamme au centre d'une croix de bois. Tout en fait se résume à cela, au jaillissement de la véritable identité.

Aucun mépris de la force horizontale ne doit donc persister dans vos entrailles puisqu'elle est un des deux composants du soleil que vous cherchez. Notez que je dis bien « dans vos entrailles ». La paix ne se montre en effet totale que si elle est acceptée et traduite par ce que la chair a de plus dense. On peut se leurrer dans le monde des idées et dans celui des sentiments car ceux-ci sont capables d'hypocrisie, mais le microcosme qui bouillonne entre l'estomac et l'ombilic est toujours, quant à lui, un fidèle traducteur de votre niveau de quiétude.

Observez de temps à autre le comportement de vos organes et de leurs cellules en ce point de votre corps. Là encore j'utilise les termes « comportement » et « cellules » à dessein. En effet, il y a une intelligence en chacun des éléments par lesquels votre corps existe. Toute cellule est un embryon d'être qui adopte systématiquement une attitude selon un système logique. Elle a sa propre mémoire, générée, dynamisée par ce principe de vie que l'on appelle prâna et que vous polarisez au rythme de vos états d'âme. Elle est un grain d'amour en devenir dès lors que vous devenez conscient de son potentiel et de sa dignité – tout comme vous – parce qu'elle est un peu de vous, de la même façon que vous êtes un peu de l'humanité et l'humanité un peu de l'univers. Elle est intégralement divinisable.

Tous les frères en Wésak savent que le dialogue avec le monde cellulaire est possible. Il ne passe pas par les mots mais par la reconnaissance intérieure de la noblesse du Feu qui l'anime. A travers vous, les cellules de vos entrailles peuvent se mettre à penser et non plus à réagir passionnellement, pulsionnellement. Vous êtes responsables de leur éveil au même titre que vous l'êtes de celui de l'animal que vous avez accueilli sous votre toit.

Dialoguer avec toutes les parcelles de votre organisme, mes amis, c'est accepter par conséquent de leur offrir un peu de ce vrai silence qui ne se résume pas à une absence de bruit, mais à la révélation d'un espace de joie à l'endroit précis où votre corps se noue...

Fermez les yeux et sentez une sphère de lumière bleue en suspens au-dessus de votre tête. Ne cherchez pas à la visualiser car votre volonté s'y tendrait peut-être inutilement. Efforcez-vous au contraire de deviner doucement, paisiblement, lentement s'il le faut, sa présence. Car en vérité elle est là. Elle est la promesse de ce que vous êtes et que vous n'avez pas encore intégré. De cette sphère lumineuse tombe maintenant sur vous une pluie fine de gouttelettes d'or. Délicieusement fraîche comme une rosée de printemps. Elle vient vous laver car elle est la caresse d'une douche après une longue traversée de désert. Sentez comme ses perles ruissellent sur vous et désincrustent les impuretés de votre être ; elles en évacuent même les écailles et vous restituent votre humilité, celle qui fait votre vraie grandeur. Sous cette pluie, rien d'autre n'existe plus que l'Union. Pressentez-vous à quel point chaque atome de votre corps est en communication avec toutes les particules de l'univers ? Tout se touche, tout respire de la même vie, tout est Un dès que vous le pensez Un.

Vient désormais l'instant où le soleil bleu descend lentement vers vous, sur vous. Il vous pénètre par le sommet du crâne et descend en toute paix, en toute fluidité le long de votre colonne vertébrale. Il vous inonde de sa fraîcheur et vous le sentez enfin se stabiliser un peu au-dessus de votre ombilic. Dorénavant, il est votre ancrage, votre feu sacré, régénérateur. Il est là, Celui que vous aviez évacué de votre centre, le baume profond comme l'azur...

Ne voyez vous pas à quel point il ressemble à la Joie ? En vérité, il est la Joie, ce moteur universel autogénérant qui manque si souvent à vos jours et à vos nuits. Surtout ne vous imaginez pas que vous puissiez avancer ou même simplement vous affermir sans redécouvrir son véritable visage. La Joie est le premier fruit de l'Amour, son fruit nécessaire... car un amour qui ne suscite pas de joie est analogue à un soleil dont les mille bras de lumière ne réchaufferaient pas le sol qu'ils ont pour charge de vivifier. Beaucoup rient encore lorsque l'on parle de Joie dans le contexte d'une recherche intérieure. Ils se gaussent ou détournent la tête parce qu'ils n'ont de la Joie que l'image d'un divertissement futile ou de la manifestation d'un plaisir capable de les détourner du but.

Mais quel est-il ce but ? Quel est-il votre but ? Si chacun de vous commençait par admettre qu'il se manifeste déjà par un peu de lumière dans le regard, par un éclat de joie qui traverse le visage, tant serait accompli !

Regardez-les ces êtres qui, un peu partout sur cette Terre, sortent des églises et des temples... Attardez-vous sur la profondeur de leurs yeux, sur la ligne de leur échine et n'ayez pas peur des mots ! Combien d'entre-eux ont-ils bu à une source de Joie, de Vie, de Bonheur ? En toute vérité, la plupart sont allés cultiver un peu plus leur tristesse d'être homme. Ils sont allés ancrer davantage, en eux, la notion de leur petitesse et le poids de leurs fautes.

Où est-il donc cet Amour, cet espoir dont ils prétendent si souvent être les ambassadeurs et les détenteurs ? Les rides de leurs fronts traduisent tant d'autres choses que ce qu'ils sont, paraît-il, venus chercher... Elles parlent de toutes les facettes de la fatalité et du corset dont l'âme qu'elles abritent est revêtue. Elles expriment les refoulements de l'être face à un horizon de splendeurs dont celui-ci se souvient à peine parce que fuyant sans cesse devant lui. Pour stopper l'errance, il ne faut pas craindre de dénoncer l'erreur... mais sans passion, sans fiel ! Ne vous retournez pas vers autrui plus que vers vous-même pour l'accuser car vous tous êtes encore capables de disserter autour du thème de l'Amour sans faire fleurir un sourire, sans faire éclore le moindre bonheur.

L'enseignement que j'ai recueilli auprès de mes deux grands frères du Wésak n'a pas en réalité d'autre but que de révéler le principe de la Joie dans le cœur de tout homme. Par la Joie, le cancer des passions, le feu destructeur auquel du fond de votre infortune vous ne savez pas donner de nom entre en phase d'extinction. Comment donc la faire germer ? En toute heure, en tout lieu, en transformant les mille choses quotidiennes en un jeu. Dans votre vie, il n'y a pas d'autres nuages que ceux que vous acceptez de condenser au-dessus de votre tête. Voilà l'une des règles majeures de ce jeu. Trouver le bonheur, le générer chez autrui ou, si vous préférez, se tenir droit face au soleil, en un mot se libérer, c'est commencer par apprendre à discerner, chaque jour, les petits instants de possible joie : un vêtement propre que l'on enfile, un repas partagé, la saveur d'un thé, le livre que l'on découvre, la conversation improvisée au coin d'une rue ou encore la beauté d'un regard que l'on croise.

Voyez-vous, c'est la banalisation de tout cela qui vous empêche d'en recueillir le suc. La Joie dont je parle n'est nullement une grande extase que l'on découvre soudainement. Elle naît d'une succession de petits instants de conscience lumineuse que vous pouvez déployer en vous au gré de votre itinéraire. N'en faites pas un don que le

Ciel a octroyé à certains plutôt qu'à d'autres. Elle s'apprend et vous devez l'apprendre sous peine de tourner encore et encore autour du Feu régénérateur dans un mouvement inlassablement centrifuge.

Pourquoi plonger votre main dans un bénitier avec un air compassé si vous êtes persuadés que son eau est sacrée ? Pourquoi tant de prosternations au cœur d'un temple, la mine terne et le menton pointé vers le nombril si la Présence que vous y révérez est une explosion d'Amour ?

La souffrance glorifiée par un crucifix est une hérésie, au même titre que la représentation du Bouddha squelettique. Ces paroles vous révoltent ? Peut-être ont-elles pour vous le goût de l'impiété... Alors, ayez le courage de les relire jusqu'à en avoir trouvé le sens profond. L'abandon de l'acide que sont vos passions exige une rupture avec le masque de la tristesse. Le recueillement dont l'âme et le cœur ont soif est à la fois une paix et un sourire. Ne le confondez pas avec le visage semi-tragique de ceux qui donnent encore au tourment une dimension rédemptrice. Non, vous n'êtes pas venus en ce monde pour vous regarder vous consumer les uns les autres. Que dorénavant la Joie soit enfin votre mot de passe, votre signe de ralliement car elle est un or capable de transmuter votre plomb. Aucune technique n'est requise pour faire cette découverte. Seule une décision de réforme vous permet de mettre fin à l'erreur de parcours car personne ne vous dispensera l'initiation suprême à laquelle vous croyez encore. Les Ecoles et les chemins multiples, ces mots-mêmes que vous recueillez de ma bouche vous offriront de petites perles de rosée aptes à faire grandir la Réconciliation en votre cœur, mais la belle et lumineuse Coupe des Retrouvailles sera portée à vos lèvres par vos propres mains. Je vous le répéterai sans cesse ! Le Feu solaire qui réchauffe et auquel vous prétendez ne s'achète pas par un débordement de privations ni par quelque rétention que ce soit. Il dit « j'aime » en se plaçant tout entier dans le verbe aimer. Comme lui, apprenez enfin à ne plus établir de différence entre vous, la Flamme que vous émettez, et ce que vous englobez de vos rayons naissants.

En ce jour de Wésak, voici que s'ouvre pour vous l'apprentissage d'un nouvel état d'esprit. Ne lui dites pas « non » par faiblesse, ne lui dites pas « oui » pour acquérir bonne conscience. Dans les deux cas, c'est avec vous-même que vous joueriez au marchand de sable !

Regardez le monde... Il n'est plus temps de vous jouer une comédie ni de vouloir « paraître » aux yeux des autres car, qui veut singer l'astre du jour fait fausse route. Pour devenir Soleil, mes amis, il faut rejoindre le Soleil... »

Chapitre IV

Un air au parfum de lumière

Dans la grotte où règnent désormais les forces de la Terre, de l'Eau et du Feu réunies, nos formes de lumière se sont levées sous la pression d'une joie intense. Il nous semble alors que notre âme se dit à elle-même : « Comment donc rester assis maintenant ? Il nous faut rejoindre nos corps, écrire, transmettre ce dépôt, puisqu'il est l'héritage auquel chaque homme peut prétendre. »

Pour toute réponse, le vieillard esquisse un nouveau sourire à travers lequel l'intensité de la vie qui l'habite se glisse encore davantage jusqu'à nous. Ce sourire, nous le voyons bien, a la légèreté d'une plaisanterie dans laquelle complicité et malice parlent tour à tour.

« Comment, paraît-il nous murmurer un instant, comment ? Vous voilà déjà partis ? Croyiez-vous vous en tirer à si bon compte ? Votre tâche n'est pas terminée et la mienne non plus en ce qui vous concerne ! »

Mais déjà le corps de notre conscience s'est laissé extraire de la cavité rocheuse par quelque élan involontaire. Sous nos regards éblouis, il n'y a plus que les cimes immaculées de l'Himalaya, des dentelles de neige et de glace et de hautes vallées perdues balayées par les vents. Que de beautés, que de trésors qui, à leur façon, parlent si bien de ces forces de Réconciliation que nous venons de recueillir !

A quelques pas de nous, la masse imposante du mont Kailash scintille et semble à son tour participer à la fête étrange qui s'organise en nos cœurs. Cependant, peu à peu, nous nous sentons comme ces bannières multicolores, chargées de mille prières, que le vent fouette sur les pitons rocheux. Alors, quelque chose en nous paraît vouloir s'adresser à l'humanité entière afin de lui dire d'arrêter le massacre... Ce cri, cette pulsion montent à travers nous et en même temps nous comprenons qu'il faudrait les retenir parce qu'ils ne signifient rien, rien d'autre qu'une révolte de plus. Eternels bavardages des egos qui se cabrent !

« Dis-nous, vieil homme, qu'y pourront donc tant de belles paroles et quelques prières récitées sur ces hautes terres glacées une fois l'an, face à la vague déferlante des iniquités qui étouffent l'homme chaque jour un peu plus ?

Vouloir changer l'homme, n'est-ce pas un leurre de plus ?

Ne peux-tu pas lire ce singulier mélange de joie et d'amertume raidissant ceux qui se voudraient artisans du changement ? Peut-on vraiment vouloir sans désirer, aimer sans posséder, agir en laissant faire ? Peux-tu nous aider à déchiffrer davantage le rébus que tant de sages ont affirmé nous avoir légué ? »

Les yeux du vieillard se sont à nouveau imposés avec force face aux nôtres. Ils ont développé une finesse pénétrante et derrière leurs prunelles sombres, il y a tant de clarté !

« Pourquoi parler de rébus ? Aucun esprit facétieux n'a voulu tracer le chemin en pointillé pour le soumettre à la sagacité de qui que ce soit ! Tout ce qui doit vous être enseigné, c'est la simplicité. Si vous prétendez à une libération… vous devez couper les vivres aux arrières-pensées. Quant aux leurres, puisque vous évoquez ce terme, il y en a un en effet : croire que l'on peut changer autrui en cherchant à lui inculquer nos propres notions de vérité. Ne vous préoccupez pas tant de l'appréciation que vous portez sur le regard de l'autre que de la lumière même de votre regard. Vous ne rendrez pas le monde meilleur en tentant de changer autrui. Vous aiderez par contre autrui à s'alléger en prenant comme but votre métamorphose personnelle.

Ainsi, c'est en respirant différemment que vous pourrez suggérer aux hommes d'inspirer un peu plus pleinement l'air de ce monde. Vous dites connaître cela… mais vous faites erreur. Vous l'avez appris, vous l'avez mémorisé, cependant vous ne le vivez pas.

Le sac à dos dont vous souffrez tant est bourré de toutes ces sortes de choses emmagasinées, ingérées mais qui vous restent au niveau de l'estomac parce qu'elles sont issues de la pensée de quelques autres.

Voilà pourquoi le souffle du Wésak vous propose sans plus attendre d'inspirer une bouffée d'air plus pur en gravissant le quatrième degré de votre propre échelle, là où viennent se confondre et s'aimer la Terre, l'Eau et le Feu. Ce lieu, cet espace, cet oxygène qui permet la calcination des antagonismes, se nomme votre cœur. Il est le creuset dans le mystère duquel chaque force prend de l'altitude en se posant la question de sa propre authenticité.

De tout ce qui constitue l'homme, mes amis, le cœur est l'organe le plus aérien. Il représente par essence l'élément au sein duquel tout se rencontre. Vous pouvez ainsi le concevoir tel un grand athanor dont la mission est de réunir les apparents contraires. Il est par conséquent un espace de fusion en même temps qu'un carrefour. Sur un plan purement physiologique, la Terre s'incarne dans son muscle, l'Eau dans le sang qui l'emplit, le Feu dans l'énergie qui l'anime, enfin l'élément aérien au centre même du sang qu'il propulse. Bien que ce ne soit pas cette dimension qui nous intéresse en premier lieu, vous devez savoir qu'elle est cependant significative puisque le corps, à travers chacun de ses composants, illustre un des langages par lesquels l'Esprit manifeste l'alchimie de sa présence. Ainsi, nul ne souffre du cœur, des reins ou du foie, par hasard ! Mais ceci est une autre histoire... Revenons à ce Cœur que la fête du Wésak appelle à reconsidérer différemment. Celui-là représente une dimension de vous-même que vous avez à peine commencé à explorer, pas davantage que l'espace cosmique – appelé parfois étrangement « vide » – auquel s'intéressent certains scientifiques.

Ce cœur et l'air perpétuellement renouvelé qui en constitue la richesse, vous devez le concevoir telle une dimension en constante et infinie expansion. Bien qu'il soit athanor, ne le voyez pas comme une sombre cavité car il s'apparente au contraire à votre ciel. En vérité, c'est par lui que vous allez apprendre à tout assembler. C'est par l'apprentissage de sa respiration que vous allez réunir les morceaux de votre propre puzzle. Voyez-vous très exactement de quoi je parle ? Rien ne sert de sauter d'un mot à l'autre si vous ne ressentez pas ce qui se cache derrière l'ombre qu'ils jettent nécessairement sur le papier.

Vous n'en êtes pas certains... ? Alors, faites un instant silence et laissez venir vos deux mains au creux de votre poitrine. Je dis « laissez-les venir » car, si vous y prêtez bien attention, elles en perçoivent le besoin d'autant plus que votre cœur les y appelle. Prenez une longue inspiration puis relâchez paisiblement votre souffle. Tournez-vous maintenant un peu plus réellement vers le centre de votre être qui pulse. Prêtez-lui attention, sans crispation. Bien sûr vous captez ses battements, peut-être d'ailleurs vous indisposent-ils, mais ce n'est pas sur eux que je vous demande de vous arrêter. Vous devez vous laisser entraîner plus loin, bien au-delà même, en un point de lumière semblable au calice d'une fleur. Vous ne saurez plus vraiment s'il se situe en votre centre le plus intime ou hors de vous. Vous ne le saurez plus parce que ce sera les deux à la fois, parce qu'il n'y a plus guère de différence ni d'antagonisme entre l'intérieur et l'extérieur.

Désormais, laissez-le parler à sa façon, le calice de cette fleur. Vous y devinez bien ce rayon lumineux dont je vous parlais il y a quelques instants mais tout se passe comme s'il ne se déployait pas encore à la mesure de sa force, comme s'il étouffait... C'est cela, il a besoin de respirer, il vous demande de le laisser respirer ! Pourquoi ne le laisseriez-vous pas faire ? Pourquoi le censurez-vous ? Pour respirer, il a besoin de donner... et vous le savez pertinemment. Alors, soyez encore un peu plus vrai avec vous-même et tentez en toute simplicité d'analyser les raisons pour lesquelles vous le bridez. Peut-être craignez-vous de vous montrer faible ou encore de vous déposséder de quelque chose... Mais en réalité, que possédez-vous véritablement à la surface de ce monde hormis ce Cœur et cet Air au parfum de Lumière qui l'habite ? Rien. Tout vous a été en quelque sorte prêté par cette force que vous appelez Dieu, parfois à contre-cœur, ou si vous préférez par l'impalpable « nature des choses ».

Quoi qu'il en soit, vous n'êtes que locataires de tous les instruments, de toutes les circonstances par lesquels vous cherchez à vous affirmer. Pardonnez-moi de vous dire très directement, que bientôt, dans l'échelle du Temps, votre maison ne vous appartiendra plus et que votre femme, votre mari, vos enfants ne seront plus « à vous ». Ce n'est qu'une pure question de logique.

Si donc, mes amis, vous voulez véritablement savoir à quoi vous référer, si vous voulez avec force vous trouver dans votre globalité, c'est-à-dire ne plus être effrayés par le morcellement de votre image, c'est vers le creux de votre poitrine que votre regard doit se porter.

Ne cherchez pas à rassembler vos excuses car il y a là comme un poids dont vous aimeriez vous débarrasser. C'est ce dernier qui vous oblige à vous contorsionner depuis toujours afin de trouver en apparence le bon masque au bon moment.

Aujourd'hui, l'Air que vous allez inspirer et expirer par ce centre est différent. Puisque vous m'avez suivi jusqu'ici c'est qu'il se montre déjà chargé de votre espoir et que vous percevez l'état d'urgence...

La respiration présuppose à la fois une réception et une émission. La pacification, l'épanouissement, enfin le rayonnement de votre cœur n'échappent pas à cette loi. Je vous propose donc de ressentir ce courant de Lumière, ce souffle frais et printanier qui vous traverse en permanence. Il pénètre votre dos à hauteur de vos omoplates puis sort à l'avant de votre corps, là où vous avez posé vos mains. Rien ne sert de chercher à l'imaginer, je ne vous suggère aucune pratique de visualisation car il est bel et bien là ce « courant d'air divin ». Il demande seulement que vous n'entraviez plus sa route avec les mille restrictions que vous vous ingéniez à échafauder : « Au nom de quoi devrai-je estimer et aider untel ? Pourquoi celui-ci réussit-il davantage que moi ? Je dois montrer à tout le monde qui je suis. Je ne céderai pas sur tel point... et que penserait-on de moi si je faisais telle chose ? »

Voilà autant d'oreillers sous lesquels vous étouffez votre potentiel d'amour et sur lesquels vous vous êtes endormis. Si aujourd'hui votre âme souffre d'insomnie, ne cherchez pas plus loin ! Elle a respiré un air vicié.

Nous sommes tous semblables à une flûte à sept trous au travers de laquelle un Souffle est en perpétuel mouvement. Si vous vous acharnez par orgueil ou paresse à ne pas vouloir reconnaître la présence de celui-ci, chacune des sept portes s'obturera peu à peu et le canal qui les unit se sclérosera. Aujourd'hui, l'initiation que le Wésak peut dispenser au plus grand nombre, acquiert la force de ce grand et puissant Souffle capable de désentartrer tous les canaux de Vie dans lesquels l'ego a dressé ses barricades. Respirez mes amis, respirez par votre cœur et faites respirer autrui par ce même cœur !

Les Frères du Wésak, ceux qui ont choisi ces montagnes et cette vallée comme signe de ralliement savent bien de quelle façon votre Occident se débat. Ils connaissent fort bien ces courants de pensée qui sous les appellations de « Spiritualisme » et de « Nouvel Age » ont émergé dans vos sociétés. Ils les connaissent fort bien car ils les ont suscités, même si ceux-ci ont pris des directions parfois erronées par le biais du libre arbitre humain. Ainsi, observent-ils les voies, les méthodes par lesquelles ceux qui redoutent le dessèchement du cœur tentent justement de capter ce nouvel Air que j'ai évoqué. Ces méthodes sont appelées séminaires ou stages et voient en eux les instruments privilégiés au moyen desquels ils vont découvrir des outils de travail sur eux et sur les autres et aussi une façon de renouer avec une conscience perdue. Que dire d'une telle démarche, mes amis, sinon qu'elle est magnifique dans son essence. Dans la pratique il faut hélas reconnaître qu'il en est souvent tout autrement car en observant bien les faits, tout n'est qu'effleuré... La profusion quasi pathologique des méthodes de développement intérieur et d'épanouissement cache le syndrome de ce que j'appellerais la course à l'initiation : « Qui pourra m'apprendre ceci ? Comment et où aller pour maîtriser cela ? » Voilà, en écoutant quelque peu, ce que répète le mental de centaines de milliers d'humains tout en continuant d'invoquer de bonne foi la force du cœur.

Ainsi, lors des rencontres qui naissent, sont collectionnés des instants qui, je ne le nie pas, élèvent sans doute l'âme, mais ne résolvent pas sa difficulté d'être dans un corps de matière. Parfois, même ce qui est appelé « problème » y est analysé de façon telle qu'il se trouve alors exagérément grossi... et c'est la force mentale qui s'en repaît dans une sorte de jouissance.

Encore une fois, *qui* va à l'essentiel ? Le tout est de ne plus tenter de s'approprier une connaissance. Le bonheur, l'amour, la paix avec soi et le monde, en un mot la Réconciliation, ne seront jamais générés par la dissection des mécanismes humains telle qu'elle est trop souvent pratiquée, c'est-à-dire avec complaisance. « Untel n'a-t-il pas suivi tel séminaire ? N'est-il pas également diplômé de telle Ecole de formation en développement personnel ? » Fort bien, et je ne blâmerai nullement de tels efforts menés par chacun pour rejoindre la Source. Mais pourquoi alors tant de mains fermées, de poings crispés et de gorges qui se nouent ? Parce qu'il est difficile de ne pas se laisser prendre au jeu de « celui qui est en recherche » et si facile de cultiver l'étrange forme de narcissisme de celui qui se dit « spiritualiste ». Parce que nombreux sont ceux qui estiment encore au fond de leur « moi-je » que la « quête intérieure » et la vie quotidienne sont deux choses distinctes. Non, je vous le dis, il n'y a pas d'une part les séminaires, parenthèses sacrées, et d'autre part la lutte banale et pesante de chaque jour. Il y a un certain diamant que tous, maintenant, vous devez vous efforcer de percevoir dans l'écrin de votre cœur. C'est un diamant devant lequel il faut apprendre de plus en plus à s'arrêter et à se taire... Car il est simplicité, confiance, patience et enfin tendresse.

Rien ne vous empêche donc, amis, de rechercher formations et initiations ; peut-être serez-vous même tentés d'en acheter... car il se trouve d'étranges théories. Mais l'Initiation, ce joyau auquel chacun aspire, ne se trouve pas là. La Vie vous la propose dans l'or de tout instant à travers le Service auquel votre cœur est appelé. Croyez-vous que les pharisiens soient d'une autre époque que la vôtre ? Il y a encore de leur principe en vous à chaque fois que l'acte se retranche derrière la belle parole, à chaque fois que la philosophie devient une barrière et que vous vous délectez de ses circonvolutions. Croyez-vous réellement qu'il importe aux Lumières qui ont jusqu'à présent guidé ce monde, que vous croyiez en la réincarnation, que vous débattiez de ses rouages, que vous connaissiez à fond les mille subtilités de l'enseignement du Bouddha, ou encore que vous ergotiez sur la signification des paroles du Christ en croix ? Que vous estimiez qu'il y ait cinq, sept ou douze plans d'existence ne vous procurera pas non plus la baguette magique pour sortir de votre ornière ! Heureux est celui qui concilie tout cela avec l'ouverture du centre de compréhension qu'est le cœur... mais ne vous imaginez à aucun moment que ce bonheur soit réservé à quelques-uns. Il ne résulte ni d'une chance ni d'un privilège dus à quelque grâce divine.

Le Souffle se reçoit, se cultive et se retransmet par l'abandon progressif d'un but purement personnel. Sans doute vous est-il déjà arrivé de vous trouver face à un portrait du Maître Jésus dans sa représentation de « Sacré Cœur ». Devant la puissance symbolique d'une telle image, votre âme s'est dit, dans un de ses replis « tout cela c'est lui, mais ce n'est pas moi... » Vous aviez raison en pensant « ce n'est pas moi » mais vous entreteniez l'erreur en ne clamant pas « cela peut être Soi », c'est-à-dire « le Souffle qui balbutie en mon être est doué de ce même potentiel... c'est une invitation ».

Tout cela, il faut oser le dire, non pas dans un délire mystique mais dans un instant de sérénité, de silence, où une tranquille résolution peut s'installer. Le vrai Souffle ne ressemble pas à un de ces tourbillons qui vous fait tricoter un bonnet de bonne conscience. Peu lui importent les étiquettes, la vérité est que le maître d'Amour et de Sagesse qui attend dans votre poitrine sait maintenant que son heure arrive. Votre rôle peut se résumer, à l'extrême, à l'apprentissage de sa reconnaissance puis à le laisser s'exprimer librement.

Mais observons une pause, mes amis, car je vois bien à quoi ressemblent les interrogations qui virevoltent au-dessus de vos têtes... Elles concernent ce Nouvel Age dont j'ai évoqué l'action il y a peu de temps. Quelle est-elle cette Ere nouvelle ? Les artisans de la Réconciliation sont-ils « Nouvel Age » ? Faut-il voir là une sorte de religion dont le Wésak sera la fête centrale ? Je vous le répète, le Souffle dont vous devez vous préoccuper n'a que faire des étiquettes. Que vous vous intégriez ou non dans un semblable mouvement de pensée et d'action, que vous adoptiez également ses modes, tout cela demeure une action purement personnelle qui ne modifie en rien ce qui a pu être dit. L'Amour n'est ni musulman, ni chrétien et pas davantage bouddhiste ou hindouiste que « nouvel âge ». Il Est... quel que soit le nom que vous préférez lui donner afin de vous rassurer... s'il vous faut absolument un point de repère. Il n'existe pas de vraie ou de fausse voie, de vraie ou de fausse spiritualité dès lors que la force authentique et simple du cœur se met à parler. Pourquoi donc créer un débat sur un point qui n'a aucune raison d'en susciter un ? Tel nom, telle image vous font plaisir et vous aident à vous reconnaître ? Prenez-les, si votre équilibre d'un temps passe par ce biais... mais de grâce n'en faites pas un pivot inébranlable de plus, une bannière à votre façon. L'Age véritablement nouveau se passera d'étendard et de rituels. Il naîtra dès que vous l'aurez clairement conçu en vous.

Le Souffle qui anime votre cœur ne peut plus maintenant demeurer en prison derrière les barreaux de votre cage thoracique. Depuis toujours, c'est-à-dire depuis que vous avez eu conscience de vous, vous l'avez contenu, comprimé dans le creux de votre poitrine en ayant peur de le laisser s'exprimer, s'expanser, rayonner dans l'espace infini que l'on dit « extérieur ». Pourquoi ? Parce que vous vous êtes progressivement laissé étouffer dans des sociétés de conventions, des sociétés où chacun se doit de construire sa propre forteresse puis de s'y retrancher. N'en avez-vous donc pas assez du « paraître » ? Ne vous vient-il pas à l'idée que la simple décision d'abaisser le pont levis vous rendrait plus heureux ? Laisser le libre accès à votre cour intérieure jusque-là si secrète peut s'avérer le début d'une nouvelle vie... Il y va de votre équilibre, car autant que vous en preniez conscience immédiatement : le Souffle qui s'en vient balayer votre Terre dans les toutes prochaines années ne pourra se vivre avec bonheur et compréhension que par et dans les cœurs déployés. Ainsi, mes amis, si votre vœu est que la vie ne vous meurtrisse plus, vous devez vous apercevoir, en cet instant, qu'il n'y a pas deux itinéraires possibles.

Chaque matin, en vous réveillant, ne craignez pas de dire à la Vie : « Oui, je me rends ! » Répétez cela autant que nécessaire jusqu'à bien comprendre ce que de tels mots signifient. Car, en vérité, quelle est cette partie de votre être qui va abandonner les armes ? Et de quelles armes s'agit-il ? Où est donc votre venin et à quoi ressemble votre armure ? Est-ce un nom derrière lequel vous vous retranchez ou que vous ne cessez de brandir ? Est-ce une fonction à laquelle vous vous accrochez jusqu'à vous identifier à ses remparts ? Ou alors est-elle une rancœur, une frustration que vous entretenez savamment et qui sert de prétexte à une entreprise de démolition ? Quelle que soit votre réponse, quel que soit le grain de sable ou la montagne que vous allez identifier, sachez que vous avez maintenant, sans plus attendre, toutes les cartes pour l'annihiler. Le principe de votre cœur se doit dorénavant de battre hors de votre poitrine. La santé de votre être et l'harmonie de votre monde en dépendent. Regardez la société dans laquelle vous avez grandi, savez-vous seulement sur combien de tonnes de neuroleptiques de toutes provenances elle se hasarde annuellement ? Cette simple constatation suffit pour vous dire combien vous vous méprenez si vous ne sortez pas des rails qu'elle vous a faits prendre jusqu'alors. Hors de ce qu'elle suggère insidieusement, vous devez redécouvrir la spontanéité, c'est-à-dire cet élan de votre cœur d'enfant qu'un complet veston cravaté et qu'un fard à paupière sur fond de « permanente » s'acharnent trop souvent à brider. Délaissez donc les uniformes et réapprenez à serrer quelqu'un contre votre cœur, même si vous le voyez pour la première fois, même si et... surtout si cela ne se fait pas. Seulement, voilà, mes amis, écoutez-moi bien et ne croyez pas vous en sortir par une pirouette de plus. Lorsque je vous dis « délaissez les uniformes » cela signifie « tous les uniformes » car il existe ce que vous appelez les « jeans » qui cachent à leur façon de fausses décontractions. Les uniformes dont vous devez apprendre à vous dépouiller ce sont toutes les conventions et tous les « paraître » derrière lesquels vous retenez votre respiration. La maladie attend toujours à la porte de celui qui n'est pas vrai, c'est-à-dire de celui qui fait de la rétention de Vie, de spontanéité, en un mot d'Amour.

Certes les excuses ne vous manquent pas pour entretenir une telle rétention car vous vous êtes laissés dresser tels des animaux de compétition et vous vous plaisez aussi à perpétuer un semblable schéma en l'imprimant sur autrui.

Voyez-vous, vos cancers et vos infarctus se voient semés quotidiennement par les barrages à la Vie que sont tous vos mensonges ou en d'autres termes toutes vos conspirations contre l'authenticité. Sous l'influx annuel du Wésak, l'ère qui s'ouvre vous apprend maintenant à casser la chaîne des mensonges-gigognes sur laquelle votre humanité s'est édifiée. En fait, le problème n'est pas tant d'apprendre à reconnaître ce en quoi on vous ment que de percevoir là où vous vous mentez à vous-même.

Cessez donc une fois pour toutes de hausser les épaules, de tourner le dos ou de pointer du doigt le voisin. Vous êtes désormais loin des cours de cathéchisme et de morale. Ceux-là, vous les avez souvent absorbés comme des somnifères de plus car il ne suffit pas de « vouloir bien faire » pour apprendre à respirer. Il faut, je le répète, un sens du respect de l'authenticité. Vous n'avez pas à vous laisser recouvrir par la vérité d'autrui, pas plus que vous ne devez tenter d'étouffer autrui sous la vôtre. Vous ne le faites pas, dites-vous ? Pourtant, observez-vous... La plupart de vos réactions sont motivées par la volonté de montrer que « vous savez » et que votre cœur palpite « comme il le faut ». Chacun se veut roi à sa façon, depuis l'orgueilleux qui dissimule souvent la peur de son infériorité derrière l'arrogance, jusqu'à l'apparemment humble qui se repaît, hélas, d'une excessive fierté la plupart du temps bien dissimulée. Chacun se sculpte son propre sceptre en préférant ignorer qu'un tel emblème n'est jamais qu'un bâton et qu'un bâton finit toujours par se rompre puisqu'il est conçu pour battre et pour imposer ! Aujourd'hui, vous êtes essoufflés à force de frapper et c'est pour cela que je vous parle avec ma propre langue aux côtés de tant d'autres. Ce ne sont pas particulièrement les pierres de ces montagnes qui m'ont appris la stupidité du mensonge à la Vie et la beauté de la respiration du Cœur. Ce sont les pierres et les cailloux les plus infimes des routes que vous parcourez en ce moment même. Je les ai polis jusqu'à y user les griffes que je m'étais laissé pousser. Je les ai observés, croyant souvent perdre mon temps, jusqu'à enfin y percevoir la Divinité tout entière. J'ai compris alors que l'air qui entre dans nos poumons ne cesse de nous parler et que tout est parabole en ce monde... tout...

absolument tout... jusqu'aux déjections de la vache au milieu du sentier.

Amis, aux yeux du cosmos et de la Force qui l'emplit, l'effort qui vous est demandé aujourd'hui n'est guère plus difficile qu'un sourire, un vrai sourire... si déterminant ! Il n'en faut pas plus pour vous réconcilier avec ce qui vibre en vous. Par les mille éléments que l'air subtil y achemine, votre cœur doit, à compter de cette heure, amorcer sa métamorphose.

Voyez-vous, plus l'esprit a la possibilité d'entrer dans un corps, plus son empreinte se densifie. Cela n'a rien à voir avec la beauté physique de ce corps mais avec sa structure moléculaire, avec aussi ce que vous appelez maintenant le code ADN.

Ainsi, dès que vous commencez à aimer d'Amour et non de désir, vous entrez en mutation dans toute la chaîne qui constitue votre être. Vous devenez des mutants, le terme n'est pas trop fort. Bon nombre de ceux qui naissent aujourd'hui parmi vous ne répondent déjà plus exactement aux mêmes lois biologiques et physiques qui ont été celles de l'humanité jusqu'à présent. Ce n'est pas seulement le taux vibratoire du monde en transformation qui impose cela mais la conscience différente d'un certain nombre de reconstructeurs qui s'en viennent sur Terre.

Peut-être vous imaginez-vous que cet état de fait est semblable à une empreinte reçue à la naissance une fois pour toutes. Détrompez-vous. Cet être humain qui a la capacité de s'accorder avec les vents solaires, ce peut être aussi vous, sans attendre.

Voici une pratique simple et réalisable en tous lieux qui saura vous aider à mieux concrétiser ce nouvel état. Elle s'avère d'autant plus puissante qu'elle acquiert sa pleine mesure dans le monde tourbillonnant et dénué de silence vivant qui est généralement le vôtre. Ainsi, elle n'exige pas la quiétude d'une pièce paisible et ne se développe pas derrière le rideau des paupières fermées.

Au contraire, mes amis, activez sa force dans l'ombre épaisse des métros, dans l'anonymat des places publiques et jusque dans l'activité mentale de vos lieux de travail. Le postulat est simple : par essence, vous êtes un soleil capable de diffuser et de réchauffer, un soleil qui ne vit pas pour être aimé coûte que coûte, mais qui vit par amour et pour aimer. Forts de cette conscience, en quelque lieux que vous soyez, quelques minutes par jour, apprenez donc à vous sentir réellement soleil. Peut-être commencerez-vous par ne percevoir qu'un point lumineux en vous, sans doute au centre de votre poitrine... Le but est de le laisser croître, jusqu'à ce qu'il darde ses rayons au-delà de vous, dans toutes les directions. Vous vous efforcerez alors de ressentir combien une volonté impersonnelle peut se mettre à rayonner à travers votre présence. Percevez ce que votre dos, vos mains, votre cage thoracique, votre ventre, vos pieds, votre front et que sais-je encore, émanent de lumière et de paix à chaque pas que vous accomplissez, à chaque seconde de votre attente sur le quai d'une gare ou sur votre siège de travail.

Dès lors, vous n'avez plus une parcelle de soleil en vous, vous n'êtes plus animés par une volonté de bien faire mais vous incarnez un peu plus un élan d'amour, un souffle de métamorphose. Là, mes Frères, les mots sont dépassés et vous devenez contagieux, vous vous faites consciemment, et loin du « vouloir prouver », un élément actif de transmission du Divin. Vous perpétuez alors l'impulsion du Wésak, vous faites don de votre présence en devenant par la même occasion semblable à un bâtonnet d'encens. Le Soleil de votre Cœur et le Souffle secret qui l'anime sont de toute éternité des diffuseurs de parfum. En accomplissant cette pratique, vous ne ferez que leur restituer leur noblesse et les remettre à leur juste place. Très vite, vous vous apercevrez que ce qui demande d'abord de votre part un petit effort de volonté s'inscrit ensuite en vous, non pas comme un automatisme, mais comme un réflexe issu de votre nature profonde. Je vous le dis, ne voyez pas là un travail de l'imagination car cela représente au contraire une œuvre de reconnection avec la Réalité ultime. Le nouvel Air que l'impulsion du Wésak invite à expanser et à chanter est une force qui doit absolument se différencier de l'affectif. Je conçois aisément la surprise et l'interrogation de bon nombre d'Occidentaux face à une telle déclaration. « Comment ? On nous parle d'amour et l'on cherche à supprimer en nous toute notion affective ? »

Tout d'abord, sachez qu'il ne s'agit nullement d'entreprendre une démarche visant à faire de vous des êtres non affectueux, en quelque sorte froids et par conséquent privés de la grâce d'une tendresse communicative. Bien au contraire, cette chaleur-là, vous devez la trouver, si ce n'est déjà fait, puis la transmettre. La notion d'« affectif » dans le cadre de cet Amour qu'il faut redécouvrir touche une autre réalité, une réalité passionnelle et par conséquent égotique dans l'être humain. Le domaine affectif auquel je fais donc allusion ici est une manifestation possessive et restrictive de la vie. L'Amour avec un grand A est toujours issu du Cœur avec un grand C. Il englobe tout sans discrimination tandis que l'amour auquel le raisonnement humain s'est habitué vit derrière des conditions et des barrières. Il se nourrit d'émotions et de pulsions qui se parent de son nom et lui ravissent ainsi sa capacité de grandir.

L'Amour non affectif que le Wésak transmet ne tente d'ailleurs pas de franchir les frontières pour la seule raison que, pour lui, il n'existe aucune frontière. Il est l'élément Air lui-même dans son aspect le plus lumineux et le plus total. Incarner cet idéal dans le monde auquel vous vous sentez souvent rivés quotidiennement demande évidemment une certaine force, j'en suis conscient. Cette tâche que vous avez à accomplir ne représente pourtant pas quelque chose d'insurmontable si vous la concevez clairement... Et vous devez, mes amis, la concevoir clairement... car n'imaginez pas un instant qu'elle s'apparente au domaine du superflu dans votre vie. Elle n'est pas un « plus » qu'il serait bien de découvrir. Elle représente une condition fondamentale pour votre survie en tant qu'hommes et femmes équilibrés.

Ainsi, je vous le dis, vous ne pouvez plus biaiser par un facile « nous verrons bien », parce que la Terre va se trouver incessamment en « rupture de stock d'Amour ». L'Amour sous condition, la respiration surveillée ont déjà ravagé l'humanité terrestre génération après génération. S'il se trouve encore des hommes pour s'en faire les hérauts derrière une foule de microphones et d'idéologies, c'est parce que vous-mêmes en êtes souvent les représentants à votre insu. Comprenez que nous sommes ici au cœur de votre difficulté : c'est la statue de « votre insu » qu'il faut déboulonner de son socle. Ne dites surtout pas « nous ne sommes ni le Christ ni le Bouddha ». Celui qui attend pour agir que la perfection vienne à lui commet une profonde erreur. Il faut aller vers elle ; ce ne sont pas des miracles qui vous sont demandés mais des actes simples et pleins. C'est de savoir, par exemple, que l'enfant de l'autre, celui qui demande peut-être à être adopté est autant le vôtre que celui de votre chair. C'est de comprendre que celui qui boit ou qui se drogue et dont vous croisez souvent le regard de façon méprisante souffre certainement du même mal – mais de façon ouverte et déclarée – que vous qui vous efforcez de le voiler sous vos écorces. Il y a les hommes qui saignent et périssent en face des autres et ceux qui meurent d'hémorragies internes. Voilà tout.

La prise de conscience qui vous est demandée consiste aussi à savoir que la Nature et l'Animal nous tendent encore la main chaque jour et représentent de meilleurs guides que bien des livres. Leur respect s'annonce comme un souffle de jouvence que nul d'entre vous ne saurait contourner s'il veut sortir de l'ornière.

Votre cœur peut voir, respirer, se souvenir ; c'est cela que vous avez refusé de comprendre et c'est pour cela, guère plus, que vous en êtes venus à égarer votre boussole. Encore faut-il que vous osiez avouer que vous vous êtes perdus, que vous admettiez que votre coquille se fendille et laisse apparaître le petit Poucet en vous. L'ogre, quant à lui, c'est le carnassier qui s'agite derrière vos masques sociaux ! Ne vous fatiguez pas à chercher sa mort, mais cessez plutôt de lui donner des os en pâture ! Alors, il se dégonflera tel un ballon.

Il n'y a jamais de ridicule au fait d'ouvrir les bras ! Je vous ai dit... votre cœur est une mémoire... Il a la mémoire du fer que votre sang véhicule mais aussi le souvenir si pur dont son germe est imprégné. C'est de ce germe dont vous rêvez dans vos errances et vos cupidités, savez-vous ! La stupidité, la cruauté et l'égoïsme ont pris progressivement racine en vous par une sorte de dépit face au vague souvenir d'une origine et d'une destination dont vous pensez avoir perdu la clé à tout jamais.

Dites-vous bien que cette perte est une illusion, que vous souffrez seulement d'une tumeur de l'âme quelles que soient les manifestations de votre mal-être. En fait, l'humanité conspire contre elle-même depuis des temps immémoriaux et mes paroles ont pour but de vous aider à dénoncer cette même conspiration en chacun de vous. Mon intention n'est pas de faire de vous d'autres conspirateurs, ceux de la Lumière par exemple... parce qu'aujourd'hui, il ne vous faut plus craindre de redevenir vous-même, au grand jour, avec simplicité mais avec fermeté et sans crainte. Sans crainte du « qu'en dira-t-on », sans crainte de sortir des rails que votre milieu vous avait déjà pré-dessinés, sans crainte non plus de perdre une identité qui de toutes façons n'était pas la vôtre. Ne vous y trompez pas, la mise en place d'un tel programme dans lequel l'authenticité de l'intelligence du cœur reprend sa place première ne demande ni déraison ni mysticisme. Elle exige plutôt de vous une véritable raison et un solide bon sens. Elle demande à ce que vous parliez moins et à ce que vous agissiez davantage. Votre stabilité passe par là dans un premier temps.

Pour rendre sa transparence à votre air intérieur il vous faut moins parler. Cela ne veut pas dire contenir le Verbe ni moins s'exprimer mais mieux s'exprimer en éliminant ce que je nommerais la trivialité des propos. En affirmant cela, je ne fais pas allusion au vocabulaire que vous utilisez et dont je vous laisse seuls observateurs mais à la pauvreté générale de vos dires. Comprenez-moi bien : donnez-vous comme but au cours d'une journée de répertorier en deux colonnes, par exemple, le contenu de vos propos.

Vous verrez qu'il y a d'une part ceux qui construisent et d'autre part ceux qui détruisent. Au rang de ces derniers, je ne place pas seulement ceux par lesquels vous agressez telle personne ou tel groupe d'êtres, mais aussi ceux par lesquels vous continuez de vous blesser, en doutant de vous, par exemple, ou au contraire en voulant jouer les guerriers, les « positifs » coûte que coûte, pour prouver votre valeur. Soyez persuadés que les croisades sont terminées, même dans les mots, si vous êtes fidèles à votre démarche.

Quant aux propos constructifs, ce ne sont pas simplement les paroles d'affection ou d'amitié que la vie amène à prononcer. Ce sont tous ceux au moyen desquels vous avez la possibilité de formuler un espoir, une ouverture, de semer une réconciliation, d'insuffler vie à quelque chose.

Livrez-vous donc à cette petite comptabilité au moins une fois, très honnêtement. Le but n'est pas de vous traquer mais de parfaire la connaissance que vous avez de vous-même, sans intention de culpabilisation.

Ainsi, vous mettrez un peu plus le doigt sur les manifestations de cette tumeur que j'ai évoquée et vous prendrez davantage conscience que, même si vous vous percevez en santé, il y a peut-être certains réflexes à désincruster de vos propos... Car les mots, voyez-vous, mes frères, sont un peu comme le thermomètre de votre âme. Les idées qui les animent illustrent à leur façon leur température profonde. Un discours certes peut tromper. On peut enduire ses termes d'une invisible substance visqueuse... mais les mille petits dialogues quotidiens, ceux que l'on appelle banals et qui font partie du contexte familial ou professionnel de l'existence, ne peuvent quant à eux mentir longtemps. Ils indiquent à coup sûr de quelle façon vous parvenez à inspirer et expirer la lumière.

Si le paysage intérieur que vous découvrez ainsi ne vous paraît pas très beau, ne vous lamentez surtout pas en songeant « c'est horrible, je ne dois pas... » En agissant de la sorte vous ne feriez qu'allonger la liste de vos « déconstructions ». Le sentiment de culpabilité a suffisamment miné vos sociétés depuis des millénaires. Il est, n'en doutez pas, l'un des ingrédients les plus sûrs de ce que vous appelez un « karma pesant ».

Annoncez-vous plutôt différemment la couleur de vos jours à venir :

« Dorénavant, je vais... dorénavant, je suis... » La différence est considérable car elle déprogramme un vieux réflexe d'insatisfaction et de frustration. Cette méthode n'est certes pas nouvelle mais qu'y a-t-il de nouveau au monde en dehors de cette Heure, de cet Appel qui sonne au cadran de votre cœur ? Tout a déjà été dit. Il faut seulement repolir les idées et les rappeler une fois de plus parce que l'homme et la femme se complaisent dans la surdité.

Ainsi, mes amis, croyez bien que je ne vous suggère nullement de vous confesser auprès de vous-même. La notion de confession qui trouvait sa justification en son temps a fini par répandre un poison lent dans l'âme humaine. Elle a généré une culpabilité-gangrène, un concept moralisateur de pêché et par là-même, la notion de punition divine.

Cette Force, cet Amour, cette Lumière que vous appelez Dieu ne punit jamais, soyez en certains ! L'homme se sanctionne assez bien lui-même. Il lui en a été donné le pouvoir et il en use avec une régularité étonnante. Votre fouet, votre enfer, c'est vous ! Ce n'est ni un instrument ni un lieu, mais l'état de votre cœur ! Ne l'avez-vous pas enfin compris ? En quels termes faudra-t-il l'inscrire dans cet air que vous respirez ? Le Wésak vous donne l'occasion annuelle de vous remémorer cet état de fait. Il vous donne cette occasion de faire le point et de vous resituer sur la carte du monde. Je veux dire du Monde avec un grand M, ce qui signifie non pas de votre petit monde fait d'échafaudages précaires, de barrières et de faux abris, mais de l'immense Univers qui palpite en potentialité dans la poitrine de chacun. Il n'y a aucune introversion dans la découverte de ce cosmos intérieur. En fait, c'est le contraire qui se produit : une extraordinaire ouverture.

Découvrir la puissance de votre cœur, laisser à nouveau l'air subtil se répandre à travers vous, n'exigent donc pas que vous vous retiriez du monde. Ce n'est pas une possibilité de libération réservée aux moines ou aux ermites. C'est un dynamisme, une réalité à incarner dans la foule, là où vous vivez, sans qu'il soit besoin de ce que l'on appelle un « grand destin ».

Je viens de parler de « libération ». Permettez-moi à ce propos de faire une ultime remarque, une remarque qui sera peut-être choquante pour quelques-uns : ne vous souciez jamais de votre libération... Comprenez-moi, cette marionnette de l'ego qui se fait passer pour vous est infiniment rusée. Jusque dans la recherche de l'abandon du joug, elle vous guette. Elle vous chatouille par conséquent en ce point de votre être où vous êtes le plus sensible : votre nombril. Le mécanisme est extraordinairement simple, simple et efficace : « Qu'y a-t-il de plus important que *ma* libération ? Puisque le monde est illusoire, stupide, inutilement cruel et que je ne veux plus souffrir, je *me* dégagerai donc de lui. Pour cela, je méditerai assidûment, je suivrai fermement une voie et je découvrirai enfin *mon* Christ intérieur. » Fort bien mes amis, voilà de splendides résolutions. Quotidiennement, il s'en est toujours pris de semblables par milliers à la surface de cette Terre. Le résultat est que l'humanité demeure encore ce qu'elle est parce que la stagnation guette au détour des chemins qui paraissent parfois les plus nobles. Je dis bien « qui paraissent »... car en réalité chez bon nombre d'êtres en quête de libération ce n'est pas de véritable libération dont il s'agit mais de fuite.

Sachez donc au fond de vous-même que l'on ne s'enfuit pas de l'Ecole de la Terre parce que l'on ne peut pas échapper à soi-même. La plupart du temps, il me faut vous le dire, il y a un égoïsme derrière le fait de vouloir « se » libérer. Celui qui accomplit véritablement le chemin vers sa demeure n'abandonne pas le monde pour se consacrer uniquement à sa propre personne. Son but ne ressemble pas à un Nirvâna où il serait débarrassé de ce qui lui pèse, mais à la Lumière qu'il révèle le long de son propre sentier. Ainsi, il devient un semeur et c'est par son service qu'il rejoint l'Etre profond, sans jamais avoir tendu une volonté égotique vers lui. Une fleur éclôt toujours spontanément parce que c'est sa nature sous les rayons du soleil. Ainsi, nul ne saurait éclore sous l'action d'une prise de conscience qui demeure au niveau de l'intellect, d'une volonté égocentrique ou encore d'une crainte.

Le déploiement de votre cœur, amis, la respiration à pleins poumons de la Vie passent par une attitude d'abandon sacré, de confiance active que jamais on ne saurait découvrir en accumulant mais au contraire en offrant. Pourquoi en effet chercher à « accumuler du mérite » ? Vous deviendriez davantage comptable que réellement gérant de votre propre évolution. L'Amour qui vous réconcilie avec vous et la Vie, est un Amour du « Soi » pas un amour du « moi » ! Il ne se révèlera jamais au bout d'un calcul ni même d'une belle addition. Il y a, voyez-vous, une spontanéité généreuse qui attend de jaillir du plus profond de chacun... Ecoutez-la car, c'est par son principe que les fers de l'humanité tomberont.

Je ne saurais être plus clair : nul ne se libèrera, mes amis, s'il n'emploie pas toute la chaleur de son esprit à libérer autrui.

Chapitre V

Faire fleurir les mots

Un souffle de vent inattendu est soudainement venu balayer le sol de la grotte. Pendant quelques instants, nous avons observé son tourbillon se déplacer dans la poussière comme à la recherche d'un itinéraire secret inscrit dans les profondeurs de la pierre. Puis le calme s'est installé à nouveau, plus léger, plus aérien encore, sous les rayons safran d'un soleil qui semble enfin vouloir tout réchauffer… Le corps de notre conscience l'avait presque oublié, ce décor à la fois austère et magique, suspendu entre les neiges et les rochers arides. Il s'était peu à peu gommé derrière la puissance des paroles confiées… et voilà qu'il réapparaît maintenant, toujours aussi nu mais avec cependant une sorte de grandeur et de magnificence jusqu'alors indécelable.

Les particules de la roche qui nous abrite paraissent elles-mêmes pétiller d'une vie plus intense et il nous semble, par leur bouillonnement, percevoir le respir de la matière.

Etrange sensation que celle de se savoir simple atome parmi des milliards d'autres… merveilleusement anonyme, perdu dans l'infini mais en même temps vivant en tout, non pas annihilé mais hyperconscient de son propre soi.

L'être qui s'est adressé à nous est, quant à lui, toujours assis, immobile, à la façon d'un parfait triangle de lumière. Il est toujours là, les yeux maintenant à demi-clos et nous voyons bien qu'il n'est plus tout à fait le même. Quelque chose a changé en lui, quelque chose de profond, du moins dans son apparence extérieure. Il faut qu'il lève les yeux vers nous pour que la vérité éclate un peu plus et que la métamorphose s'opère. Elle est totale... mais pourtant ne nous surprend guère, comme si elle résultait d'une logique profonde, inéluctable.

Ce n'est plus un vieillard couvert de cendres qui se trouve assis face à nous, à même le sol, mais un homme dans toute la force de l'âge, un homme au corps longiligne, aux traits fins et à la chevelure abondante... Son regard vient immédiatement se planter au cœur du nôtre. Identique à celui du vieillard qu'il animait encore l'instant auparavant, il se montre de braise, purificateur à l'extrême.

Une fois de plus la question voudrait surgir, presque du fond de nos entrailles, incongrue nous semble-t-il : « Qui es-tu ? »

A grand peine nous la réprimons. Nous savons trop bien que sa réponse effleurerait une surface et qu'il y a d'autres écailles à gratter.

Alors, les yeux toujours rivés aux nôtres, l'être sourit. Il sourit évidemment, devrions-nous dire, car il a lu l'interrogation qui, l'espace d'un instant, flottait autour de nos corps. Le souffle qui passe est trop fort... Nous ne pouvons retenir un rire et une cascade de joie se met à remplir l'espace subtil de la grotte en une fraction de seconde.

Immédiatement, ce sont des flots de flammes rose et or qui inondent la cavité rocheuse.

Sans attendre, l'être pointe le doigt dans notre direction...

« Le bonheur est si facile... Voyez-vous, c'est par de tels éclats de rire que devrait débuter et se conclure toute réelle rencontre entre les âmes. C'est une façon de balayer les ombres de bien des discours superflus et aussi de se nettoyer soi-même ! Ne croyez pas que ce déferlement de flammèches ondoyantes que vous venez d'observer ne soit réalité que dans les mondes appelés subtils. Chaque homme baigne dans leur océan dès que son cœur génère une joie spontanée ou accepte de se laisser envahir par celle d'autrui. C'est une grande vertu que celle de savoir dissoudre ses propres résistances face aux multiples appels à la joie que la vie ne manque pas de suggérer.

Le ciel est trop souvent sombre, dites-vous ? Il ne vous invite pas à la gaieté spontanée, à la simple confiance dans l'instant présent... ? Mais ne voyez-vous pas à quel point il est seulement paré du vêtement dont vous l'habillez quotidiennement ? Votre regard est celui d'une caméra subjective. Quant à vous, vous êtes devenus des metteurs en scène et des techniciens prisonniers de leur propre création dramatique, perdus dans l'écheveau de leur complexité.

Ainsi, pensez le monde différemment et vous décréerez le décor qui vous étouffe. Pensez-vous autrement et vous détisserez la camisole qui vous enserre et à laquelle vous vous identifiez ! Comment vous dire autrement, mes amis, que le Créateur vit en chacun de vous ?

Regardez-moi. Maintenant, croyez-vous un seul instant que la forme corporelle que je viens d'adopter trouve sa raison d'être dans le fait de vous apporter un élément de merveilleux afin de frapper les imaginations ? Ce serait bien dérisoire ! Ce n'est pas non plus une farce que je vous joue, tentant ainsi de brouiller les cartes de mon identité. Je vous fais seulement toucher du doigt à quel point la puissance créatrice a été offerte en présent à chaque être... Je dis bien à chaque être. Ce qui signifie que je ne suis qu'une perle parmi d'autres sur l'infini collier que constitue l'humanité. Ces chemins aux horizons bouchés que vous parcourez encore souvent aujourd'hui, sachez que je les ai connus et que je ne suis nullement différent de vous dans mon essence. Ma métamorphose n'est qu'un exemple qui vous exhorte seulement mais impérativement à créer votre propre réalité et à rebâtir intégralement votre univers, intérieur et extérieur.

Le cinquième barreau de l'échelle que je vous invite à gravir, est celui de la conscience capable de modeler les quatre éléments de la matière dense, la base de votre stabilité. Cette conscience est celle du souffle générateur que vous pouvez appeler éthérique ou subtil, peu importe. Apprenez avant tout que ce dernier est le moteur, fluide et sans rouage, par lequel vous vous faites artisans de votre réalité totale et co-créateurs de l'univers. Par cela, je vous annonce, je vous rappelle avec force que le Verbe est en chacun de vous, amis. Sa puissance, sa fraîcheur, sa douceur, sont lovées non pas seulement à votre racine mais aussi quelque part derrière votre gorge. La lumière que vous allez redécouvrir dorénavant puis redistribuer, ne se pense pas simplement, ne se regarde pas non plus simplement, elle s'insuffle par le son, elle se dit ! Elle demande à fleurir à travers les mots. A vous donc de faire en sorte que les mots soient bien plus que ce que vous imaginiez qu'ils étaient jusqu'alors.

La vérité est qu'aucun de vous ne peut plus se vivre en modèle réduit, ni générer cette sorte de présent que l'on appelle l'avenir dans le micro-univers qui était généralement le sien. C'est donc sur le souffle de l'expansion que je vous propose de me suivre maintenant sans tergiverser.

Le Wésak est une vibration, un état sacré de créativité qui passe par cette matière que l'on nomme l'Ether et que le son, entre autre, rend exprimable.

L'Ether ! Voilà mes amis, un mot qui résonne bien aux oreilles de ceux qui se disent ésotéristes. Lorsqu'ils l'ont prononcé, combien d'entre vous ne pensent-ils pas avoir tout expliqué, tout compris ?... Mais combien d'entre-vous aussi, ont-ils réellement mesuré sa valeur ? Si j'insiste sur ce point, c'est qu'il est désormais urgent de clarifier quelques notions, de les faire descendre du monde mental inconscient, passif, au monde mental lucide, constructif, puis à l'univers du cœur.

Ainsi, n'entretenez plus l'idée que l'Ether est une sorte d'air subtil, totalement intangible, doué de propriétés insondables et miraculeuses. L'Ether, je vous l'ai dit, est avant tout une matière, une matière à sa façon bien concrète, dans laquelle vous vous déplacez et qui constitue le support fondamental de votre vie en ce monde. Dégagez-le donc de toute une imagerie philosophique qui ne suscite qu'une jouissance mentale, intellectuelle, recouverte d'un voile qualifié de recherche spirituelle. La véritable quête intérieure qui est un gigantesque mouvement de Réconciliation, s'annonce d'emblée comme une recherche extrêmement concrète dans laquelle la métaphysique n'est pas une affaire de notions mouvantes mais un outil permanent de l'ordre du tangible, aussi tangible que peut l'être un marteau. L'Ether, sachez-le, n'est pas simplement présent lorsque cela vous arrange, c'est-à-dire lors de certaines discussions que vous aimez argumenter et qui montrent que « vous avez compris ». Il n'est pas non plus absent par le simple fait qu'il n'entre peut-être pas dans le schéma de raisonnement logique d'un certain nombre d'entre vous. En vérité, en tant qu'être intelligent et que conscience globale d'un degré particulier de la vie, l'Ether n'a que faire des verbiages. Je dis tout ceci afin de vous faire comprendre qu'il est désormais vital que vous sortiez du monde des théories. Vous vous déplacez dans l'Ether, vous mangez l'Ether, vous respirez l'Ether et vous modelez ce même Ether par vos pensées et vos paroles. C'est cette compréhension-la qui compte car c'est par elle que vous sculptez votre réalité quotidienne et celle d'autrui, car c'est par elle aussi que vous faites de votre présence sur Terre ou un poison virulent ou un baume de guérison.

Pour m'exprimer plus concrètement, je dirais donc que l'Ether est une matière semblable à la glaise, une glaise sensible à l'empreinte de votre qualité d'être, c'est-à-dire au niveau de vos pensées et bien évidemment de vos paroles.

Les mots qui sortent de votre bouche, mes amis, sont les enfants de votre volonté d'ouverture de cœur... et lorsque je dis « les mots » je ne parle pas tant de la coquille qui les habille que de la vibration qui les fait vivre. Vous-mêmes, voyez-vous, vous êtes un son revêtu de peau, un son qui génère d'autres sons.

La prise de conscience du relais capital que constitue aujourd'hui le Wésak doit contribuer à faire cesser maintenant en vous l'émission d'une cacophonie au profit d'une réelle mélodie. En aucune façon il ne vous est demandé de construire laborieusement cette mélodie. Votre travail de régénération ne ressemble pas à celui d'un tâcheron ou d'un mathématicien qui tente de mettre en pratique certaines lois prédéfinies. La vérité est que tout homme est musicien dans l'âme et dans l'esprit. Sa vie sur Terre ne lui demande pas d'inventer des notes mais d'exprimer librement celles qui sont de toute éternité dans sa poitrine. Leurs accords ne sont jamais faux puisqu'ils sont des éléments exacts de la symphonie parfaite que nous avons tous en mémoire au fond de nous.

Modeler l'Ether c'est donc, par notre authenticité et notre absence de malice, à la fois nourrir autrui et nous en nourrir. C'est penser juste et parler juste... « Quel vieux principe qui sent la redite et le moisi » murmurez-vous déjà ! Sans doute, mais sachez que redite et moisissure ne s'impriment que sur une roue voilée de la machine mentale et ce n'est certes pas avec celle-là que je vous invite aujourd'hui à fonctionner ! Déjà vous vous imaginiez obligés de mettre en pratique de vieux principes de morale autoblocants selon lesquels vous analyseriez chaque pensée et chaque parole avant de les émettre. Rassurez-vous, je ne veux pas vous faire don d'une balance pour vous soupeser à tout instant de votre vie. Le jugement est un grand démolisseur et ce n'est certes pas par son intermédiaire que vous allez imprimer votre harmonique dans la matière éthérique. Ne vous attaquez pas de front à vos pensées mais considérez plutôt dans un premier temps leur manifestation sonore, leur impact dans la matière, c'est-à-dire vos paroles. C'est par l'analyse détachée de la substance de celles-ci que vous parviendrez à mieux vous comprendre, à mieux vous aimer puis à métamorphoser votre base.

Sachez que vous êtes pleinement chacun des sons que vous émettez tout comme le chanteur se fabrique, au-delà même de ce qu'il suppose, par la somme des mélodies qu'il interprète.

Une fois par jour, tentez donc de comprendre pourquoi vous avez prononcé tel mot, telle phrase plutôt que tel ou telle autre. Considérez-les sous différents aspects, bien sûr avec le costume, c'est-à-dire la valeur qu'ils revêtent socialement parlant, mais aussi avec l'énergie dont vous les avez nourris. Considérez-les non seulement de votre propre point de vue mais aussi du point de vue possible de celui qui les as reçus. Faites cela paisiblement sans vous égarer dans les méandres des reproches ou des satisfactions et dites-vous très clairement « qu'est-ce qui a habité mon corps en cet instant ? Est-ce mon être ou un parasite de mon être ? »

La réponse demande de la simplicité, rien d'autre. Lorsque l'observation est claire, le remède, s'il en est besoin, apparaît clairement.

En aucune façon vous n'allez combattre les mots-vibrations éthériques qui jaillissent de vous et dont vous pourriez avoir honte. Vous allez petit à petit développer leur contraire, générer en vous un nouveau vocabulaire, d'abord parallèle, peut-être même annexe mais qui, progressivement, prendra le pas sur l'ancien.

Les sons qui se mettront alors à sortir de votre bouche se feront de plus en plus profonds jusqu'à naître enfin de votre poitrine elle-même. C'est par sa propre vibration que l'outil peut parvenir à forger l'artisan. C'est par la matière subtile que l'outil et l'artisan finissent par comprendre qu'ils ne font plus qu'un.

Le souffle éthérique que vous transcrivez en ondes sonores dans ce monde, ressemble à un pinceau plus ou moins lumineux qui trace des arabesques dans votre espace intérieur et autour de ceux que vous croisez. C'est pourquoi sa juste polarisation, sa purification, nécessitent avant tout une prise de conscience qui dépasse de loin les stériles discussions philosophiques. Cette époque attend de vous une mise en pratique de quelques grands principes par lesquels le but à atteindre ne se situe pas vers un horizon qui recule sans cesse mais au cœur du chemin de chaque jour.

Mes amis, il n'y a pas d'autre but que vous-même, pleinement vous-même, dans l'instant présent, dénué de faux semblants. L'aspect spontané du son et sa maîtrise à redécouvrir, vous invitent à le réaliser.

L'univers sonore représente une clé que vous devez impérativement apprendre à mieux manier... à mieux déchiffrer également, si je puis dire, car vous êtes étrangement à la fois une partition musicale, le compositeur et l'interprète de cette partition... c'est dire à quel point l'esprit qui vous habite est la liberté incarnée. Sans doute avez-vous déjà éprouvé le besoin de chanter, peut-être à votre façon, la syllabe sacrée « AUM ». Sans doute aussi l'avez-vous fait suffisamment longtemps pour que sa vibration finisse par imprimer en vous un sentiment de paix profonde, semblable à celui que l'on peut éprouver en pagayant doucement en barque, sur un lac. Si vous n'avez jamais tenté l'expérience, voici que je vous y invite. C'est le bourdonnement de la syllabe en vous-même, ininterrompue ou presque, qui va générer la sérénité par un brassage en profondeur de vos cellules. Pourtant, retenez ceci : ce n'est pas tant sur ce son sacré que sur le silence intérieur qui suit son émission que je souhaite ici attirer votre attention. En effet, dès qu'une longue série de Aum se sera éteinte d'elle-même dans votre poitrine, pénétrez dans le silence qui lui succédera. Je veux dire, comprenez-moi bien, n'observez pas ce silence de l'extérieur car il sera tangible, aussi riche, aussi vivant que le miel qui coule d'une ruche. En vérité, si vous saisissez parfaitement ce que je ne peux que suggérer, vous saurez que ce silence n'est précisément pas un silence. Il n'est pas un silence au sens où cette notion est généralement comprise car le silence total, absolu est une illusion. En pénétrant en son sein, vous expérimenterez le fait qu'il est lui-même un son, le Son parfait, un chant, *le* chant devrais-je dire. Sans doute cette affirmation vous surprend-t-elle, mais avant de la repousser comme une aberration, essayez de la vivre car, pas plus que le vide cosmique n'existe, le silence absolu ne signifie quelque chose. Il représente une étape de la perception, guère plus. Ce que l'on appelle le Silence et qui est autre chose que la suppression du bruit, peut-être comparé à une force, un véhicule qui colporte le Souffle divin. Il ne signifie pas une absence de quelque chose mais au contraire une merveilleuse Présence parce qu'il est peuplé par une infinité de vibrations alimentant ce que nous appelons la Vie. Celles-ci sont au nombre de cent quarante quatre mille et constituent le support de l'univers tangible et intangible où nous nous mouvons. Chacune d'elles laisse son empreinte en nous depuis l'éternité des Temps, à notre insu. Notre tâche consiste, d'un certain point de vue, à redécouvrir sa trace et à y faire circuler notre conscience, notre amour puis de la dynamiser à nouveau afin de participer ainsi à la Création.

Méditez cela. Lorsque vous aurez plus pleinement compris que le Son s'exprime aussi à travers le silence, vous ressentirez mieux ce qu'est l'art de la parole juste et de la pensée juste auxquelles j'ai fait allusion.

La dysenterie verbale est une maladie chronique propre à beaucoup d'hommes et de femmes de cette Terre.

Vous parlez sans cesse de la nécessité de communiquer mais savez-vous seulement ce que cela signifie ? L'ère moderne qui est la vôtre se dépense quotidiennement dans un flot de verbiage dénué de vie. Si peu de choses y circulent. Il vous faut cesser sans plus tarder d'être complices d'un tel état de fait.

Ne plus en être complices ne veut pas seulement dire ne pas ajouter sa propre voix à un charivari irréfléchi et inconséquent mais aussi ne plus prêter l'oreille au délire quasi-général. Sachez, mes amis, que votre monde se trouve à ce propos dans une réelle situation d'urgence. Je vous l'affirme, il n'y a jamais eu moins de communication authentique entre les humains qu'aujourd'hui même.

Il existe par contre une pseudo-communication qui alimente un fantastique parasitage de l'espace mental de votre planète. Celle-ci vous est presque imposée par ce que vous appelez les médias. Ne soyez pas surpris de ce qu'un homme qui vous semble vivre dans une roche aussi retirée du monde aborde un domaine aussi concret, aussi terre à terre, diriez-vous. Je vous l'ai déjà annoncé : mon but et celui que le nouveau Wésak éclaire dorénavant n'est pas de vous gorger de philosophie en vous déconnectant des murs quotidiens contre lesquels vous vous heurtez. Mes frères éveillés et moi-même voulons avant tout dénoncer les faux itinéraires, secouer l'humanité de sa torpeur individu après individu, dussions-nous nous incarner nous-mêmes dans les formes les plus lourdes, sous les aspects les plus inattendus, hors des Ecoles et des sentiers balisés. Et cela très rapidement... et avec joie.

Comprenez bien que nos dénonciations ne sont pas des accusations empreintes de fiel car nous savons que seuls ceux qui souffrent s'avèrent capables de faire souffrir autrui.

Voilà pourquoi nous appelons tous ceux d'entre vous qui sont aujourd'hui conscients de cet état de fait, à dénoncer à nos côtés, en paix et avec amour, une certaine dictature mentale et une certaine pollution psychique qui étouffent l'actuelle humanité terrestre.

L'Ether dans lequel vous vous déplacez est saturé d'une présence parasitaire et il vous faut le laver par tout ce qu'il m'a été possible d'évoquer avec vous. Ne croyez pas que cela nous mène loin de la force qui se dégage de cette vallée... car chacun doit en hériter afin d'opérer l'œuvre de nettoyage puis de reconstruction à partir de sa propre personne. La douche est individuelle avant de rejaillir sur le collectif.

Il y a un son que vous n'entendez guère et qui peuple anarchiquement l'Ether dans lequel voyagent les pensées humaines. Ce son polluant est la résultante de l'activité psychique brouillonne de chacun, considérablement amplifiée par celle des médias.

Que faire ? Tout d'abord savoir, je vous le répète, que vous ne partez pas en guerre mais qu'il vous suffit simplement de fermer les portes à un assaillant qui ne tire sa force que de votre propre inconscience.

Le remède est simple même s'il ressemble fort à un mécanisme d'auto-sevrage qui fait appel à la volonté : extirpez-vous de l'univers intoxiquant des médias. Dans vos sociétés occidentales, journaux, revues, émissions diverses n'ont que très rarement le but sincère de vous informer mais bien plus celui de vous déformer, voire de vous rendre informes. L'uniformisation des opinions et des consciences représente la cible non encore avouée de quelques-uns. Elle est une des phases de l'asservissement tout d'abord mental qu'une minorité se propose d'instaurer sur cette planète à l'ouverture de l'actuelle charnière entre deux âges. Les complices et les acteurs de cette intoxication sont quant à eux extraordinairement nombreux, tenus en laisse par leur ego et son cortège de peurs et de besoins. Il ne s'agit pas de juger « l'autre », celui qui rédige l'article, qui filme le reportage ou présente les déformations quotidiennes. Il s'agit d'abord de se regarder soi-même en tant que complice souvent inconscient, mais complice tout de même, d'une société où l'on aime trop avaler l'aliment prédigéré. « L'autre », celui qui s'introduit chez vous par ses écrits ou son verbe, n'est peut-être pas plus sombre ni calculateur que vous mais il est assurément victime du même jeu collectif, de la même illusion, de la même soif de « moi-je ».

Le remède consiste à couper les vivres à l'expression des egos, à leur étalage devrai-je dire, et par là-même à la volonté de domination d'une minorité extrêmement agissante.

En tout état de cause, mes amis, ne vous méprenez pas : il n'y a pas d'un côté, vous les bons mais malheureux qui subissez une dictature et de l'autre côté les mauvais qui distribuent les cartes et trichent. Il n'y a que des êtres qui cherchent, d'autres qui ne savent plus chercher et qui oublient, d'autres enfin qui n'ont pas le courage de chercher.

Ainsi, le remède est simple, je vous le répète, il faut juste un peu de lucidité pour fermer une revue et couper le contact d'un téléviseur. Dix minutes quotidiennes consacrées à ce que vous appelez l'information suffisent amplement. Je sais fort bien, mes amis, mes frères, qu'une telle affirmation fera hurler ceux d'entre vous qui se disent citoyens et non pas sujets... mais ne hurleront que ceux qui ne sentent pas encore quelles sortes de fers on leur a déjà passés aux chevilles.

Dans la plupart des nations de ce monde, le jeu est faussé depuis longtemps. Vous êtes tous les sujets d'une immense dictature dès lors que votre réalité émotionnelle et mentale reste aussi fragile, poreuse et manipulable que maintenant.

Voilà pourquoi je vous dis en empruntant votre propre langage « changez de longueur d'onde » ! Ce n'est qu'en modifiant votre qualité vibratoire, donc en transformant votre capacité de percevoir les événements, en faisant un pas vers l'autre réalité qui se dissimule derrière eux, que vous pourrez prétendre vous guérir de ce qui vous accable en ce monde.

En fait, je vous exhorte à vous guérir vous-mêmes, à désencombrer les mers de votre mental de sa multitude de vieux rafiots qui prennent l'eau de toutes parts et auxquels vous vous cramponnez néanmoins encore. En d'autres termes, je vous dis : lavez votre aura jusque dans ses moindres recoins en commençant par avoir de vous une opinion plus simple, plus vraie, plus noble. Vous devez absolument être persuadés de votre capacité de régénération et de création. Je suis là, voyez-vous, pour en raviver le souvenir en votre âme.

D'aucuns vous diront bien sûr en décortiquant ces paroles qu'elles proviennent d'un marchand d'utopies... et il se trouvera sûrement quelque oreille en vous pour acquiescer encore, je le sais. Mais quels sont ces êtres qui aujourd'hui prétendent une fois de plus et imperturbablement, continuer à donner des leçons au nom d'une certaine rationalité poussiéreuse et d'un certain ordre du monde qui a fait ses tristes preuves ? Les maîtres d'œuvre et les artisans de votre actuel système de pensée et du mécanisme d'autodestruction par lequel vous vous êtes laissé subjuguer n'ont pas la décence de se taire. Quand bien même l'auraient-ils, le poison est à ce point infiltré dans les organes du corps commun constitué par votre humanité, qu'il se trouverait encore d'indéfectibles serviteurs locaux de la machine usée pour en perpétuer le travail. Ne craignez donc pas sans armure ni épée mais avec amour, de dire simplement et fermement « taisez-vous » à toutes les forces qui s'emparent de votre propre capacité à être vous-mêmes.

Retenez bien ce mot : fermeté. Sans elle, ne prétendez pas avancer d'un pas dans le nettoyage intégral de votre être. L'amour que vous devez porter envers la Vie qui circule en vous chemine obligatoirement par un ensemble de décisions fermes. Fermeté ne signifie cependant ni dureté ni intransigeance. La fermeté plonge les racines jusque dans les profondeurs de cette confiance dont je vous ai déjà tant parlé. Elle est, en définitive, la force d'âme de ceux qui savent où ils vont... Et n'en doutez plus maintenant, au fond de votre cœur, vous savez parfaitement où vous allez. Ce que vous ignorez peut-être encore, c'est comment vous y allez, par quel chemin de vie. N'oubliez pourtant pas ceci : les détails de votre feuille de route ne revêtent que peu d'importance. S'ils vous sont totalement étrangers peu importe également, car l'abandon des résistances est un incroyable fertilisant de l'être. L'essentiel est d'avancer, une main sur le cœur avec résolution. Celui qui agit ainsi ne peut s'égarer. Il préserve la pureté de sa pensée puis génère autour de lui un mouvement de forces que l'on peut qualifier d'éthériques et qui constitue une véritable centrale énergétique. Un tel mécanisme sacré est assimilé au moteur que certains nomment « la foi ». Quant à moi, je n'utiliserai pas ce terme car les religions humaines l'ont souvent employé inconsidérément à tel point qu'il provoque parfois un rejet proche de l'indigestion.

Le Wésak, par sa semence offerte, ne vous demande pas une foi aux yeux bandés mais le courage de mettre en pratique un Amour envers le Tout. Il ne cherche pas à faire de vous des aveugles ou des borgnes mais des êtres responsables et conscients de leur présence sur Terre, de leur mission de bonheur, enfin de leur capacité à se diviniser.

Pour pénétrer le sens de tout cela, ne craignez pas de demander à la Vie, à l'Univers, à la Divinité si vous le préférez, votre juste part de Souffle. Comment pourrait-on vous ouvrir une porte si vous ne vous donnez pas la peine d'y frapper ?

Je vous ai parlé d'un grand nettoyage éthérique par un contrôle de la parole et par-là même des pensées. Cet élément qui fait partie de votre programme de Réconciliation constitue un régulateur important dans le déploiement harmonieux de votre cinquième centre énergétique, situé près de la partie subtile de votre larynx. Ne le négligez donc pas. La parole, reprenez-en conscience, est l'instrument privilégié de votre échange avec autrui, sachant que cet autrui ne se réduit pas à l'humanité proche mais s'étend à chacune des manifestations de la Création. Elle est en priorité un élément de transmission ou de rétention du Divin. Vous la considérez trop comme une capacité anodine tandis qu'elle est analogue au ciseau du sculpteur, à la main du modeleur. La dégager de la masse informe et anarchique des scories ne tend pas à faire de vous un orateur mais simplement un être dont le sillage est plus limpide. Toute parole est perçue comme une musique par nos centres subtils, même si dans notre état incarné nous ne la recevons pas en tant que telle.

Ainsi, vous hurlez ou vous chantez votre vie par ce que vous dites et par la façon dont vous le dites. La qualité d'Ether que vous reconvertissez par votre centre laryngé resserre les barreaux de votre cage ou au contraire devient l'instrument de votre Réconciliation, de votre libération. Ce qu'il y a de merveilleux dans tout cela, mes amis, c'est que votre libération génère celle d'autrui. Dès que vous redressez l'échine et que vous redevenez, ne serait-ce d'abord qu'en balbutiant, co-créateurs de votre vie avec le Divin, c'est l'humanité dans son intégralité qui perd un peu de sa scoliose et redécouvre un élément de sa noblesse. « La noblesse », voilà la seconde fois que j'utilise ce terme en quelques instants, l'avez-vous remarqué ? Cette noblesse dont je parle ne représente évidemment pas un titre, mais un état de l'âme, un état de l'âme qui sait se respecter elle-même parce qu'elle est consciente de la pureté de son origine. Une telle qualité ne s'acquiert pas à la façon d'un titre ou d'une particule que l'on place devant un nom, afin de paraître un peu plus. Elle se redécouvre au fond de soi comme un héritage oublié, aussi simplement que cela. Elle exprime l'abandon de l'anneau de servitude par un vrai sourire. L'anneau blesse... écoutez encore une fois votre propre langue ! Ce n'est pas le fruit d'un hasard si elle est douée d'une telle vertu évocatrice.

Bien que vous vous imaginiez souvent le contraire, vous ne sauriez tricher par le biais de la force éthérique qui jaillit de vos bouches sous la forme de mots. Le mensonge, s'il vous arrive de le manier, n'est jamais qu'apparent. Comprenez-moi : on peut sans aucun doute tromper des multitudes de tuniques de chair, manipuler avec brio le paraître et l'hypocrisie et s'asseoir ainsi en entretenant un sentiment de puissance, mais en vérité on ne se ment pas longtemps à soi-même. Ainsi, du meilleur ami que vous devriez être pour vous-même, vous faites le meilleur ennemi. C'est-à-dire que vous générez l'adversité en vous et que celle-ci ne manquera pas de se réveiller tôt ou tard. Vous savez tous qu'une maladie met souvent bien longtemps à tisser sa toile. L'autopollution par le mensonge sous toutes ses formes représente à sa façon un cancer qui étend ses ramifications d'un bout à l'autre de l'existence. Il jette même ses ponts d'une vie à l'autre. Chacun de nous prend rendez-vous avec lui-même d'époque en époque, chargé de ses propres fers et de ses chers anneaux d'esclavage. D'où pensez-vous qu'il puisse venir ce malêtre dont vous dites si souvent souffrir ? Le patron, le conjoint, les parents, la petite enfance... peut-être, peut-être à leur façon. Mais comprenez-moi lorsque je vous affirme qu'ils ne sont rien d'autre que des amplificateurs de votre guerre chronique interne, des prétextes pour dissimuler vos peurs, un rideau d'arbres pour voiler une forêt de séquoias...

Purifiez votre langage et vous purifierez votre contact avec le monde.

Purifiez votre pensée et vous rendrez plus limpide votre perception du monde.

J'ai dit, votre pensée, mes frères... et non pas vos pensées... car je le répète je ne cherche pas à faire de vous des sentinelles qui épient et sanctionnent leurs moindres écarts, par rapport à une droite ligne idéale. Votre pensée c'est votre perception du monde, la qualité d'amour que vous lui offrez et que vous vous offrez quotidiennement. C'est aussi la somme de vos maladresses, de celles que vous acceptez de reconnaître, de formuler et dont vous faites néanmoins présent à la Vie parce que vous n'avez plus honte de marcher... même si la marche fait parfois trébucher.

Les cailloux du chemin seront toujours vos premiers et vos derniers maîtres car les pensées qu'ils suscitent et les paroles qui en jaillissent sont comme des miroirs.

De la même façon que l'on parvient à rééduquer des vues de l'âme par la maîtrise des courbes de l'écriture, rééduquez votre conscience de vous-même et de votre noblesse par la maîtrise du Verbe. Ne plus nourrir la substance impalpable de certains mots, ce que l'on appelle leur égrégore, ne signifie pas leur barrer systématiquement la route, qui plus est de façon crispée. Il vous faut au contraire oser ramener à la vie d'autres mots jusqu'ici trop souvent absents de votre vocabulaire. C'est par leur magie vibratoire, par l'impact qu'ils vont laisser chez « l'autre », en même temps que dans votre cœur, que le grand lessivage des impuretés de la planète peut ainsi s'opérer. Combien de fois les mots « amour » « tendresse » « lumière » « confiance » fleurissent-ils chaque jour sur vos lèvres ? Tentez de les dénombrer par simple curiosité puis faites un jeu à part entière de leur prononciation, de leur intégration dans votre façon de vous exprimer. Peut-être surprendrez-vous autrui par la cristallinité bientôt naissante de vos propos. La beauté de la réforme ne s'arrêtera pourtant pas là. Elle s'étendra en faisant crépiter mille étincelles dans le regard d'autrui, des étincelles dont ni vous ni même les autres n'aurez sans doute conscience immédiatement mais qui agiront tel un levain.

Vous êtes-vous jamais arrêtés sur ce qui se cache derrière un mot, mes amis ? Il y a quelques instants, j'utilisai le terme égrégore, faute d'en trouver un autre, plus simple. Qu'est-ce qu'un égrégore ? Une masse d'énergie psychique, issue de la puissance de la pensée d'un grand nombre d'êtres et qui est relative à un concept, à une idée, ainsi qu'à son contexte généralement dissimulé à l'ombre d'un mot.

Ainsi existe-t-il dans le monde de l'Ether un égrégore de la peur, un autre de la violence, du mensonge, mais aussi du pardon, de l'amour, de la tolérance ainsi que cent mille autres encore évidemment. Lorsque vous prononcez un mot, c'est par conséquent une énergie à part entière chargée de tout un passé, parfois pesant, que vous pulsez vers votre interlocuteur. Par la parole, le processus d'échange ou de monologue, selon le cas, ne s'opère pas de ce fait uniquement sur les plans de l'intellect. Il dépasse celui-ci de très loin en reliant les êtres à des réalités énergétiques qui les façonnent en profondeur. L'impact de la vibration éthérique issue d'un égrégore est toujours plus puissant que celui qui se fait sentir dans le creux de l'oreille puis dans les tiroirs de l'intellect. Cela, il ne faut plus que vous l'oubliiez. Votre guérison en dépend... d'autant plus que vous ne pouvez vous satisfaire d'une demi-guérison. Le potentiel de création qui réside de cette façon dans votre cœur, si vous acceptez de mettre celui-ci en mouvement, est aussi un potentiel de crémation. En effet, par lui vous allez réduire en cendres la masse des déchets issus de votre présence sur Terre, à savoir les remparts de vos notions erronées. Ce n'est plus l'air conditionné que vous devez rechercher mais l'air, tout simplement, l'air qui vous permet de vivre sans condition, non pas comme quelques serviteurs de l'asphyxie mondiale le souhaitent mais tel que votre cœur aimant le sent spontanément. Ainsi donc, de la même façon, vous devez guérir votre propre aura de ses miasmes agissant dans l'Ether. Vous devez vous soustraire à un Gouvernement mondial dont le but est de vicier l'aura planétaire. Je ne puis être beaucoup plus clair.

Mon appel à la libération intérieure, à la reconnection avec votre être véritable, ne saurait en fait se dissocier d'un appel à la libération globale de votre humanité. Il faut absolument savoir que ce qui est savamment entretenu par votre faiblesse ou votre lâcheté à un niveau personnel, donc local, est magnifiquement orchestré sur un plan mondial par ce qu'il ne faut pas craindre d'appeler un Gouvernement occulte. Il existe bel et bien à la surface de ce monde une hiérarchie sombre, parfaitement structurée, qui base sa volonté de domination et d'asservissement sur la connaissance de tout ce qui cause vos déséquilibres, c'est-à-dire essentiellement sur vos doutes, vos craintes et votre paresse. Cette hiérarchie dont vos chefs d'état ne sont que des maillons parfois inconscients et toujours manipulables à souhaits, base surtout ses espoirs sur chacun de vous en tant qu'individu prêt à sommeiller à la moindre occasion, à la moindre illusion de confort supplémentaire. Vous réconcilier avec ce que vous êtes, c'est vous extraire d'une armée d'automates pour laquelle tout a déjà été pensé. L'uniformisation du genre humain par l'entretien de la morosité générale et l'injection d'une fausse culture est une cible dorénavant à court terme. Sachez que vous demeurez au cœur même de cette cible et que l'asphyxie vous guette si vous ne réagissez pas immédiatement.

Vous vous laissez enrôler dans des brigades, sous hypnose, dès que la faculté d'aimer s'enfuit de vous, dès que vous polluez le monde par des pensées brouillonnes et dénuées d'espoir. Voilà une base de réflexion et d'action, mes amis. Pour calmer vos maux, n'attendez donc rien de vos dirigeants. Vous n'avez d'ailleurs pas véritablement élus ceux-ci. Leurs ascensions et leurs chutes sont orchestrées de beaucoup plus loin, au même rythme que celui de votre assoupissement. Pour l'amour du Soleil, je vous rappelle par conséquent de ne pas vous laisser voler votre âme. Aucun système politique n'offrira la solution à votre quête. La solution consiste d'abord à prendre une douche ! Inutile d'insister, je pense, sur le type de douche que vous devez rechercher quotidiennement. Celle-ci se base sur la joie. Tout ou presque est enclos dans ce concept. C'est une affaire de regard. L'obscurité des métros, le bruit des ateliers où l'on serre des boulons et les secrétariats regorgeant d'ordinateurs ne sont plus désormais des excuses à votre passivité, à votre cancer « égoïde ». Ces lieux sont, je le répète, vos écoles, des écoles que vous devez maintenant apprendre à désaturer, de la notion de fatalité dans laquelle elles baignent. Si vous comprenez cela et si vous vous aimez en conséquence, vous devenez dès lors le grain de sable dans les rouages du Gouvernement auquel j'ai fait allusion. Les uns après les autres, vous vous hissez dès lors psychiquement, émotionnellement, hors de sa portée.

Entendez-moi bien ; mon cri n'est aucunement un encouragement à l'acceptation béate de certaines apparentes impasses liées au monde matériel. Je veux simplement vous dire que la redécouverte individuelle et collective de ce que vous êtes intérieurement est le biais par lequel vous avez la possibilité de catapulter l'organisation de la matière elle-même à un autre niveau de réalisation.

L'Amour-volonté du Wésak est, sur ce plan, un rappel détonnant à la fois de votre nécessité d'indépendance et de votre évidente interdépendance.

Mes amis, mes frères, sans crainte soyez alors de superbes grains de sable dans l'engrenage de la médiocrité et du non-amour sous lesquels certains espèrent voir l'humanité étouffer. Devenez les uns après les autres, sans rancœur et avec paix, des maillons manquants dans la grande chaîne de l'irresponsabilité. Dites-vous enfin que le temps de l'oubli est terminé… dès cette seconde si vous le décidez !

Chapitre VI

L'œil de compassion

Wésak ! Quel mot étrange ! Au fond de notre grotte, il nous semble désormais être si loin de son apparat. De la vallée, plus aucun son ne monte, d'ailleurs... il y a longtemps que les trompes se sont tues. Au cœur même du silence vivant de la roche il faut néanmoins qu'un chapelet de questions se faufile... Pourquoi tout cela ? Pourquoi cette fête ? Pourquoi, presque tel un jeu du mental, avoir attendu sa venue, son prétexte même afin de nous délivrer...

« Son prétexte, mais qui parle de prétexte ? »

Le sage à l'abondante chevelure paraît s'être soudainement levé, bien que son corps n'ait pas esquissé le moindre mouvement. C'est une masse, un flot d'énergie verticale que nous ressentons alors face à nous, comme un appel à nous redresser nous-mêmes.

Pénétrant une fois de plus notre conscience de ses yeux d'obsidienne, l'être fronce légèrement les sourcils avant de nous adresser à nouveau un sourire où perle une sorte de complicité.

« Vous parliez de prétexte ? Ne feignez pas ne pas avoir compris, afin de recueillir plus encore de ma bouche !

La fête du Wésak, mes frères, n'est pas et ne sera jamais un prétexte. Il y a un Souffle, vous le savez bien, qui n'a pas besoin d'excuses pour se manifester. Aujourd'hui, le Wésak représente simplement l'occasion que les cycles de l'univers vous offrent pour mieux vous reconnaître. C'est pour cela qu'il est la porte que j'emprunte. »

« Veux-tu dire que le Wésak n'est plus le même qu'autrefois, qu'hier encore peut-être ? »

« C'est vous tous qui n'êtes plus les mêmes, pourrais-je avant tout vous répondre. Vous grattez davantage encore et de façon plus effrénée la matière de ce monde, ce que son sol a de plus rocailleux afin d'y espérer le jaillissement d'une certaine eau... Cela vous semble étrange mais c'est aussi cet appel qui change le visage du Wésak. Même les plus rudes d'entre les humains crient, même ceux qui sont encore lovés dans leur étroitesse, leur orgueil, leur cruauté, espèrent sa force de purification. A sa façon, la monstruosité est un appel au secours. Oui, à compter de ces jours le Wésak se révèle un peu plus tel qu'en sa source. Jamais plus il ne sera la fête réservée à une communauté d'hommes assemblés sur de hautes terres. Il est déjà la fête du peuple humain dans son ensemble, l'implantation sacrée qui le fait sortir du tunnel, son réveille-matin. L'union de l'Orient et de l'Occident de tout être, voilà ce qu'il clame bien au-delà des prêtres qui ont jusqu'ici entretenu sa flamme. Comprenez-moi, si le Wésak continue de s'exprimer par une date, il devient aussi une expression permanente de la Force rénovatrice et unificatrice.

Une fête dont l'essence ne se perçoit que par la répétition rituellique d'un cérémonial n'est plus une fête mais un automatisme qui génère lui-même des automates. Voilà ma façon de vous dire que vous n'avez pas à pétrifier le Wésak dans un moule mais que votre tâche est de le porter en vous à chaque seconde de votre vie. Vous êtes tous le Wésak par essence, mes amis, ne l'ignorez plus ! Les champs de force qui l'animent sont vos constituants premiers, que vous l'admettiez ou non... et c'est le souvenir de leur présence en vous qu'il m'appartient de stimuler. »

« La révélation de l'universalité du Wésak est-elle donc une charge dont il appartient à tous de révéler désormais la beauté ? »

« Si vous voyez cela comme une charge, alors, mieux vaut que vous demeuriez assis. On courbe toujours le dos sous une charge et on déploie dans son transport tout un fatras d'armements. La charge exclut la joie et la joie c'est le regard neuf.

Vos yeux, je vous le dis, sont usés parce que vous ne les placez qu'à hauteur de votre cerveau. Tout change, dès l'instant où vous consentez à placer ces yeux sous vos pieds, vos mains, au niveau de votre gorge, au milieu de votre dos, de votre poitrine ou en toute autre partie de votre corps ! Ne croyez pas que je m'exprime par images. Le regard est le portail de la conscience... mais la conscience elle-même ne loge en aucun point précis de l'organisme.

La conscience est apte à se déplacer partout en vous, mes amis. Vous pouvez lui demander de se mouvoir à volonté, jusqu'à vous apercevoir qu'elle a la capacité d'habiter simultanément chacune de vos cellules. La difficulté vient une fois de plus d'une vieille habitude entartrante. Elle provient de ce que vous n'avez jamais supposé, sauf peut-être intellectuellement, qu'il était possible de regarder autrement que par les yeux. Cela vous fait sourire, mais c'est aussi enfantin que cela.

Bien sûr, sans doute imaginez-vous que je cherche à développer quelques arguments de façon à induire en vous la fameuse notion de « troisième œil ». Ceux qui espèrent à ce propos une théorie explicative de plus seront déçus. Vous vous êtes suffisamment abreuvés de théories, vous vous êtes aussi noyés dans leurs eaux sans même apercevoir clairement le port où elles devaient vous mener. Ainsi, je ne veux pas vous entretenir de la réalité d'un troisième œil en tant qu'œil supplémentaire à développer mais d'un œil unique. En effet, si la triplicité ne mène pas immédiatement à l'unité, elle se désagrège et retombe dans la dualité. C'est le sentiment du Un qui dépasse, en la sublimant la multiplicité du trois.

Peu importe que vous développiez telle ou telle technique. Même si les méthodes dites d'éveil, récentes ou traditionnelles, ont quelque effet sur vous, elles ne vous donnent pas la clé de vous-même si vous n'êtes pas pénétrés de cette réalité du Un.

Tant que vous demeurez dans la fascination du trois, c'est-à-dire de l'œil frontal, vous restez esclave de la notion de puissance, c'est-à-dire de la volonté de dominer autrui, « celui qui ne sait pas », par le biais de vos découvertes et de vos capacités. Tel est le piège qu'il faut ici mettre en lumière car, si ce n'est déjà fait, vous le rencontrerez.

Une conscience qui se réveille découvre plus que jamais l'orgueil. De ce qui l'a stimulée, elle fait en effet bien vite sa possession. Reconnaissez-le : combien de fois par jour n'avez-vous pas envie de dire le fameux « je sais » ? Oui, certainement, vous savez, mais vous savez quoi ?

Vous savez quel mantra il convient de réciter en telle circonstance et quelle planète entre en conjonction avec telle autre à telle date précise. Sans doute aussi avez-vous mémorisé les rapports entre chakras et glandes endocrines ou encore une méthode pour ouvrir tel centre psychique. Mais au-delà de tout cela, je vous demande : « Que se passe-t-il au juste ? » Pourquoi votre regard y compris le troisième demeure-t-il si triste ou si arrogant ? Qu'est-ce qui fait que votre « moi-je » fabrique encore son venin... pour d'ailleurs se l'administrer régulièrement ?

Votre volonté de posséder et donc de dominer est la réponse... même au cœur de la recherche d'un mieux, même dans la tentative de découverte du bien et du beau. Votre conscience qui s'ouvre, voyez-vous, veut trop souvent se gaver, se gorger de ce qu'elle perçoit comme étant ses conquêtes !

Regardez les faits, leur essence et leurs conséquences bien en face, mes amis, sans tricherie possible... Puis prenez l'exemple de tout ce que j'ai tenté de remettre entre vos mains jusqu'à présent. Cela vous a-t-il fait grossir d'une somme d'informations supplémentaires ou au contraire cela vous a-t-il affinés ? Je veux dire qu'il ne convient plus d'acquérir mais de perdre. Le regard neuf s'attache d'abord à débarrasser la vie de certaines pelures qui l'alourdissent. Le regard neuf n'est jamais acquéreur dans le sens où il a dépassé toute recherche de puissance ou de supériorité.

Avez-vous véritablement l'intention de faire fleurir en votre âme cet état de quiétude ? C'est ainsi que je vous pose la question fondamentale avant même de continuer à vous enseigner. Ce n'est certes pas à moi que vous devez répondre, mais à vous-même, sans qu'il soit possible de mitiger votre position ou de tergiverser. Devenir une bibliothèque, un condensé de sciences ésotériques, un dévoreur de séminaires ou un méditant fier de l'être fait peut-être encore partie de votre but. Alors, apprenez à le reconnaître sans honte mais n'espérez pas par là parvenir à la racine de vous-même et découvrir la joie qui jaillit au cœur de l'amour.

Le regard nouveau que suscite le Wésak bien compris ne vous oppose pas au reste de l'humanité. Il tente de vous faire comprendre qu'il n'y a pas vous puis les autres ni même les autres puis vous. C'est dire que par son œil unique, non dominateur, il n'alimente aucun jugement. Par l'abandon du réflexe d'acquisition, il sort de l'ornière inquisitrice.

Souhaitez-vous que je sois plus clair encore ? Alors, laissez-moi vous dire que c'est à ce que j'appellerais une pulsion « d'opposition systématique » que vous devez fermer la porte en vous. Cette pulsion qui se caractérise par un regard froid se manifeste cent fois par jour chez tout humain. C'est elle qui en fait un juge, un inquisiteur. L'œil unique, dans sa réalité profonde, fait de vous tous des protagonistes d'une même action de rédemption individuelle et planétaire. Dites-vous bien, amis, que même ceux que vous concevez encore en tant qu'ennemis font en réalité beaucoup plus un avec vous que vous ne le supposez. Chacun de vous est un peu la création de l'autre parce qu'il est nourri par l'activité émotionnelle, mentale et psychique d'autrui. Ainsi, le criminel que vous jugez à travers votre télévision ou à l'abri de votre quotidien, vit-il à sa façon en vous. Ainsi également, l'être de paix qui agit à l'autre bout du monde reçoit-il comme aliment ce qu'il y a de meilleur en vous. L'équilibre du monde tient à un perpétuel échange entre les innombrables rouages d'un même moteur. Voilà pourquoi, tant que vous persisterez à entretenir toute notion d'antagonisme en vous et hors de vous, l'œil frontal ne fleurira pas comme il convient.

Vous en obtiendrez tout au plus, par certaines techniques, des manifestations secondaires qui, tels des sucres d'orge, viendront à point afin d'engraisser votre orgueil et vous prouver que « vous au moins vous êtes différent des autres ».

Déraciner le vieux schéma des « antagonismes inévitables » ne doit pourtant pas vous amener à développer une forme de passivité et de non-engagement. L'absence de jugement n'engendre ni l'absence d'opinion ni l'absence d'action. Elle prive simplement cette opinion et cette action de leur côté impulsif et non constructif parce que non aimant.

Croyez-vous un seul instant que votre frère le Christ ait jeté les marchands hors du Temple après un jugement sans appel et sur un coup d'impulsivité ? Son acte de désapprobation visait à enseigner la nécessité de certaines prises de position très incarnées. Il illustre celles qui naissent d'une opinion claire et qui se transmuent en colère saine c'est-à-dire non émotionnelle.

Vous n'êtes sur cette Terre ni pour subir, ni pour faire subir, mes amis… Si donc vous ancrez cette vérité en vous, vous devenez des moteurs constructifs et vous désenkystez de vos habitudes mentales toute notion d'antagonisme jusqu'au cœur de l'engagement.

Dès l'instant où le jugement fuit votre conscience, le désir de domination perd pied en vous et vice versa. Ainsi, l'abandon de la notion de pouvoir fait-il partie du programme d'exploration de vous-même que vous avez commencé à mettre en place. Il en représente d'ailleurs une pièce maîtresse. Reconnaissez-le enfin, le besoin de juger, c'est-à-dire de prouver sa supériorité, dissimule toujours en chacun de vous une crainte d'infériorité. « Si je juge, je montre que je sais et si je prouve que je sais, j'arbore l'étendard de ma supériorité. » Voilà sur quel modèle l'humanité fonctionne. Le problème, cependant, est que tout signe de supériorité s'il génère une cuirasse illusoire, entame avant tout l'être, au point d'y laisser une blessure. Tant que vous ne vous extirpez pas du jeu du supérieur et de l'inférieur, vous vous débattez dans une prison dualiste. Pour survivre, vous pensez alors qu'il vous faut en permanence « gonfler les muscles » mentalement. Votre geôlier n'est ni la société, ni même un seul de vos proches, mais vos yeux dès que ceux-ci ne savent pas regarder.

L'œil frontal dont je vous parle ne s'ouvrira jamais sur votre « crâne de bélier » car s'il génère la pacification, il ne peut naître également que de celle-ci. Je vous le demande donc, pourquoi éternellement partir à la conquête de quelque chose... serait-ce de vous-même ? Vous vous trompez de cap. Rien ne sert de vouloir enfoncer des portes qui, si vous les regardez bien, ne demandent qu'à s'ouvrir d'elles-mêmes.

Souriez à celui qui vous fusille de son regard... cela vous semble niais, peut-être ! Pourtant tout change si vous ne voyez pas l'agresseur en lui, mais l'agent du Destin, afin de vous faire revenir à l'unité. Faites-en l'expérience avant que de ranger un tel conseil dans le tiroir aux idées « bonnes pour le catéchisme ». En chacun, il y a un enfant qui balbutie et s'éveille. C'est lui qu'il faut toucher. Cet enfant-là voyez-vous, n'a pas le visage d'un être puéril et inconscient. Il peut au contraire faire preuve de la plus étonnante des maturités, tout simplement parce qu'il est la Source tendre de chacun. C'est cette dernière que vous devez déloger en rangeant aux oubliettes vos cornes d'agressé-agresseur... d'agresseur-agressé. Que cette expression ne vous étonne pas trop car, plus souvent que vous ne le croyez, vous faites partie de ces victimes qui ont appelé leur agresseur et qui lui ont fourni ses armes. Je vous entretiens de cela à la fois sur un plan individuel et collectif puisqu'il n'y a pas de différence fondamentale entre chacun de vous isolément et la société que vous constituez tous ensemble. C'est l'absence de confiance, c'est-à-dire d'unicité, qui aimante l'agresseur et lui trace le chemin.

La confiance est un grand mot me direz-vous... Quant à moi, je vous répondrai : pas si grand que cela... car la confiance est seulement la simplicité initiale. Voilà pourquoi au cœur de votre recherche d'unité, spontanéité et absence d'arrière-pensées sont vos atouts.

Cette fameuse intuition que la Tradition définit comme le fruit de l'œil frontal représente avant tout la quintessence d'une forme sacrée de la confiance qui s'appelle Abandon. Il n'est certes pas ici question de l'intuition des diseuses de bonne aventure mais de cette faculté de pouvoir se laisser porter sur l'océan de chacun, d'apprendre instantanément à y naviguer, à pénétrer la profondeur de ses eaux. Cette intuition-là, cette clairvoyance, mes amis, n'est pas apparentée à un pouvoir mais très exactement au contraire d'un pouvoir. Elle jaillit de l'abandon de tout désir d'emprise sur autrui. Elle s'appelle aussi Compassion parce qu'elle est la clé d'or du cœur de tous. Si je devais conclure ici la transmission de Lumière de mon âme à la vôtre, j'ajouterais simplement ceci : toute votre vie se résume à un apprentissage de la compassion.

La compassion est le partage spontané du regard de l'autre, la faculté de se sentir en lui, de le sentir en soi, sans qu'il y ait besoin de chercher à justifier la moindre chose.

Ne dites surtout pas que tout cela est trop difficile pour vous car alors c'est que vous pensez la situation « avec votre tête ». Ne comprenez-vous pas que la force nouvelle du Wésak vous demande de ne plus continuer à être seulement monsieur ou madame untel - qui - a - de - bonnes - lectures ? Du fond de cette grotte, je connais les secrets de vos âmes, les troubles et les trésors de vos regards, je les connais comme s'ils étaient miens, je les connais parce qu'un jour, harassé de questions, j'ai posé mon baluchon et j'ai commencé à m'aimer et à vous aimer. Parce que ce jour-là aussi, j'ai voulu tout partager et que toute notion de domination avait perdu son sens pour moi.

Aussi, aujourd'hui je puis clamer que si je connais chacun d'entre vous ce n'est certes pas parce que j'ai acquis un pouvoir mais parce que j'ai appris à vous lire en aimant, parce que j'ai ouvert mon cœur et mon corps à ce qui vient de vous.

Alors, mes amis, mes frères, je vous le répète, ne dites surtout pas que tout ceci est trop difficile pour vous car il n'y a pas la moindre force en moi qui soit différente de la vôtre.

La Lumière du Wésak que je dépose dès ce jour au centre de votre front ne s'applique pas à faire de vous des hommes et des femmes en robe de bure mais des êtres totalement incarnés, bien dans leur siècle, aptes à faire de ce qui reste de ce siècle l'instrument de leur humanité naissante.

Ne soyez pas surpris si je vous dis que vous n'êtes pas encore humains au sens noble et accompli de ce terme.

Vous en avez révélé les habits mais pas encore la force pacifiante. C'est pourquoi mon appel est avant tout un appel à l'action, un appel à l'aventure intérieure, un appel à empoigner le monde par tous les bouts de sa chemise afin de le secouer.

Votre regard nouveau et votre volonté rénovatrice doivent vous rendre plus que jamais frères de ce siècle. Frères de ce siècle mais au-delà des modes du siècle, c'est-à-dire de ses réflexes de verbiage, d'hypocrisie et de musculation mentale. C'est enfin dans la rue que je vous attends et que surtout vous vous attendez. Regardez les visages de ceux que vous y croisez. Chacun d'eux est le vôtre, à différentes heures de votre jour intérieur. Il en est de laids et de sublimes mais ils vous appartiennent tous au même titre, malgré les arguments contraires que toute votre philosophie pourrait développer.

A compter d'aujourd'hui, au fond de vous-même, vous allez leur déclarer votre amour. Les grands mots ne seront pas nécessaires mais simplement une petite lumière, un fin faisceau gai et cristallin. Où que vous soyez, vous le laisserez filer de lui-même d'entre vos yeux. D'abord, il perlera comme une goutte de rosée puis s'élancera telle une longue main de bénédiction. Vous sentirez alors qu'il n'imposera pas votre amour mais qu'il le déposera sans artifice, sans attente sur le front de tous ceux qu'il rencontrera. En douceur, il pénétrera et vous avec lui derrière le miroir des apparences. Par lui vous serez observateurs et acteurs, détachés et impliqués. Que le faisceau de cet amour soit avant tout une caresse et n'implique rien d'autre que votre seule présence aimante. Faites en sorte qu'il ne soit pas là pour percer l'intimité des consciences mais pour porter un peu de leur fardeau. Dès qu'il se sera mis à explorer l'univers de votre quotidien, vous comprendrez aisément l'ampleur et la beauté du cadeau que vous vous faites puis, que vous offrez au monde.

Surtout, ne feignez pas la surdité face à ces paroles. Elles ne s'adressent pas, vous le savez bien, à la partie superficielle de votre être, mais à ses couches les plus profondes, à ce qu'il y a de plus authentique en vous. Feindre la surdité, c'est tout simplement continuer d'engranger, comme par le passé, toutes sortes de données qui font plaisir à la bonne conscience et donnent l'opportunité de passer entre amis des soirées « lumineuses » parce qu'on y parle de choses « spirituelles ». Je vous le dis, mes frères, ce qui a pour nom « spiritualité », l'éveil de l'autre sens, de l'autre regard, est totalement étranger à un beau mélange de mots et de notions diverses. La spiritualité que le rayon d'Amour-Volonté met en lumière commence par le simple geste de ramasser un papier qui souille un coin de nature ou encore par le fait de dire oui à un cœur qui a juste besoin qu'on l'écoute. Chacun de vous est au centre d'un fabuleux champ d'expérimentation de lui-même et de ses infinies potentialités de croître. Fermer l'œil et ruminer des intentions ne font que vous rendre plus responsables de votre mal car, je vous le dis sans ambage : vous vous trouvez désormais à votre croisée des chemins. Dénoncer ou condamner l'absurdité dans laquelle vous avez si souvent la sensation de vous débattre ne doit plus demeurer votre but premier. Les paroles fielleuses ont toujours empoisonné ceux qui les prononcent. Votre but se situe dans la reconversion des énergies qui vous séparent de vous-même derrière le masque de cent mille visages. Votre but est de devenir un trait d'union dans toutes les strates de conscience où la Vie se faufile.

Ainsi, il ne vous est pas demandé d'ouvrir désormais le « bon œil » pour vous ranger parmi « les justes qui ont tout compris » mais plutôt d'ouvrir réellement l'Œil, au-delà même du monde subtil de l'Ether, c'est-à-dire au-delà des notions métaphysiques. Cet œil-là, l'Œil, n'est pas relié au cerveau par un nerf optique. Il est en prise directe avec le cœur... et vous allez le trouver, le faire éclore au bout de l'usure de vos petits vouloirs quotidiens. Ce n'est pas un sens de plus qu'il vous faut trouver à votre itinéraire ou à la vie, mais une essence. Vous êtes tous là, dans vos tours de béton ou dans vos campagnes isolées pour parfaire le mode d'emploi de vous-même. Dites-vous bien cela chaque matin au réveil. Les grincements de votre machine vous indiquent seulement qu'est venue l'heure d'une révision générale de vos circuits. C'est en ce sens que vous devez remercier vos douleurs et vos peines. Vous n'avez pas à les vivre comme des punitions mais comme vos avertisseurs.

La vraie cécité, cela vous a été dit, est toujours une maladie de l'âme qui n'a qu'elle-même et de façon réductive pour unique point de mire. Elle est le fruit inéluctable d'un cercle vicieux qui se nomme égoïsme... Elle creuse son sillon en vous jusqu'à ce que vous ayez décidé que le soc de sa charrue a suffisamment fait ses preuves de son incapacité à vous rendre heureux.

Vous réconcilier avec ce qu'il y a de plus beau en vous, avec votre Christ, avec votre Bouddha, exige impérativement que vous mainteniez la clarté de votre regard, c'est-à-dire que vous vous redéfinissiez en tant que potentiel d'Infini.

Je ne vous cache pas que vous vous dirigez tous vers un temps d'extrême confusion. Un temps aussi où toutes les énergies et tous les êtres vont être amenés à se dévoiler tels qu'en eux-mêmes, sans tricherie possible. C'est cela le véritable sens du terme Apocalypse. Au milieu de ce bain révélateur, la force issue du Wésak doit précisément devenir un de vos points d'ancrage, le regard flamboyant et purificateur par lequel vous allez pouvoir redécouvrir et affirmer votre vraie nature.

Je vous pose donc, mes frères, la question suivante : acceptez-vous ou plutôt décidez-vous de sortir immédiatement des chemins de l'indolence et des jérémiades ?

Si vous n'élevez pas votre vision d'un niveau, attendez-vous à être submergés par l'incompréhensible. J'évoquais à l'instant la notion d'Apocalypse... Mais sachez bien qu'il n'y aura de réelle Apocalypse qu'au fond des cœurs paresseux, au fond des cœurs insensibles à leur propre source d'amour. Ce n'est certes pas au Maître de Lumière qui surgira du creuset de la nuit qu'il importe de dire oui avant tout... mais au Maître de Lumière que vous étouffez en vous. C'est de ce dernier, uni à des millions d'autres, que jaillira l'échelle permettant une manifestation physique répondant à tous vos espoirs.

Pour l'heure, considérez aussi que la confusion générale qui s'apprête à investir ce monde peut devenir à sa façon votre maître si vous en décidez ainsi. Il faut simplement que vous ne lui donniez pas la main tout en restant dans un sentiment d'unité absolue. Il n'y a jamais d'obscurité totale et ce que vous voyez de l'absence de lumière a sa nécessaire fonction qui n'est pas à maudire. Je vous l'annonce afin que, sans tarder, vous placiez vos fondations à l'abri des séismes : dans la mêlée qui s'en vient combien d'entre vous ne connaîtront-t-ils pas d'amitiés blessées, de sensations de trahison et d'abandon, mais aussi d'incroyables exaltations, des joies nouvelles au cœur des unions et des retrouvailles.

Face à tout cela, mes amis, gardez un seul cap, un seul regard, celui de la confiance... Ne soyez pas surpris de ce conseil car les séismes auront autant le visage de l'exaltation que celui d'une plaie. Votre gerbe de fleurs doit s'épanouir dans l'équanimité... après maints et maints débroussaillages. Je sais bien que l'équanimité est un mot qui fait peur ; on l'associe à une sorte de tiédeur, mêlée d'indifférence. N'y voyez pourtant pas cela. Elle est la résultante lumineuse d'un centrage de l'être qui maîtrise la satisfaction et la peine dans leur côté illusoire, c'est-à-dire dans leurs manifestations incontrôlées. Ne vous alarmez donc pas si la confusion se montre votre compagne quotidienne sur le chemin de vos retrouvailles. Il y a un temps qui est nécessairement le sien et dont vous recueillerez, contre toutes vos attentes, les plus beaux fruits.

Ainsi, ne vous effrayez pas si vous avez parfois la sensation de « ne plus rien comprendre, rien éprouver, rien croire »... car lorsque l'on fait un pas vers soi c'est d'abord comme si l'on faisait un pas dans le vide ou si l'on se jetait dans un puits sans fond. On a l'impression que la chute ne s'arrêtera jamais. En vérité, c'est l'ascension que l'on a entreprise, sans s'en apercevoir, qui provoque un tel vertige. Il faut parfois accepter d'errer pour apprendre à développer le clair regard et rejoindre la seule route qui soit.

Ce n'est donc pas un hasard, voyez-vous, si votre âme a choisi ce siècle afin d'y prendre corps : l'errance y règne en souveraine. A vous maintenant d'en capter les nécessaires enseignements, à vous d'y recueillir une pleine brassée de patience et de discernement. De la confusion naît tôt ou tard la fusion car c'est lorsqu'il faut aller à l'Essentiel que la voie de l'Union surgit des profondeurs avec une évidence éclatante. C'est ainsi que votre regard, encore double en cet instant, doit se détacher de la notion d'obstacle... Car, soyez-en certains, vos obstacles sont vos alliés, les extracteurs possibles de votre quintessence. L'usine à broyer dans laquelle vous avez tendance à vous égarer d'existence en existence peut subitement devenir un magnifique atelier de régénération. Il faut juste que vous acceptiez de reconsidérer les faits : ce n'est pas la matière qui s'est rebellée contre vous mais vous, individus après individus, qui vous êtes dressés contre elle, après vous être fâchés contre sa présence en vous.

C'est pourquoi, le regard unique qu'engendre le Wésak vous demande instamment de ne plus être de nouveaux pharisiens. Il n'y a pas d'hypocrisie qui puisse aujourd'hui se justifier parce que vos zones d'ombre vous suivent maintenant pas à pas, parce que le mensonge est désormais sur le point de vous étouffer si vos yeux ne fusionnent pas.

Regarder vers l'Un, cela signifie d'abord regarder dans l'Un... et l'Un, je vous le dis mes amis, c'est le domaine de l'Infiniment Possible !

Regarder vers l'Un, c'est, une fois de plus, tout reconsidérer en levant les barrières qui limitent jusqu'à présent votre champ de compréhension, votre champ de « raisonnabilité », c'est-à-dire le terrain d'investigation que vous autorisez à votre conscience.

Vous ignorez où je cherche à vous emmener ? C'est pourtant simple... à l'autre bout des univers, en effectuant un grand raccourci par vous-même ! Ou si vous préférez, je vous conduis en vous faisant faire une pirouette du côté des univers. Cela revient au même. Ce qu'il faut, c'est lasser votre regard des constants passages à niveaux qu'il se plaît à matérialiser. Il faut qu'il apprenne à lever les barrières que concrétisent les notions du faisable et du non-faisable. Quel est le rapport avec notre propos ? Vous vous desséchez à l'ombre de tels barrages, vous réduisez la Vie à un secteur bien défini, bien gardé, de crainte que quelque chose ne vous en échappe. Cela vous ferait-il tellement mal si vous vous aperceviez qu'elle est bien plus belle, bien plus infinie que vous ne pouvez l'entrevoir ?

Combien de temps faudra-t-il encore entendre, dans vos « milieux autorisés » que la vie ne peut se concevoir sur telle ou telle planète parce qu'on n'y trouve pas tel gaz ou telle température présumée supportable ? Ceci est un simple exemple du type de vision réductive qu'il faut déraciner en vous. Je l'ai choisi parce qu'il œuvre dans le sens de l'élargissement qu'il importe de cultiver dans vos consciences. Je l'ai également choisi parce qu'il esquisse, à sa façon d'autres retrouvailles, d'autres réconciliations qui vous attendent à la fin de ce siècle. Votre œil distingue-t-il la réalité à laquelle je fais allusion ?

J'en vois certains se gausser déjà ! Nous y voilà ! Comment donc, raisonnablement, écouter discourir un ermite himalayen tel que moi, de la vie sur d'autres planètes ou, n'ayons pas peur des mots, de la vie extraterrestre ? Mais quel rapport avec la lumière du Wésak, avec le rayonnement de Tarboche ? Est-ce une plaisanterie ?

Mes amis, c'est votre vie elle-même qui deviendra bientôt une plaisanterie – mais de mauvais goût – si vous la cantonnez à la définition qu'en donne pompeusement l'humanité. Cessez de souffrir de nombrilisme ! Pour ma part, si cela peut rassurer votre démarche « exclusivement intérieure » et donc « sereine », je ne vous parlerai pas d'extraterrestres... Je ne vous en parlerai pas parce que cette dénomination ne signifie plus rien de crédible. Je préfère simplement vous entretenir de la réalité aimante d'hommes et de femmes semblables à vous et moi, en provenance d'autres mondes, d'autres terres si vous voulez et qui d'ores et déjà, vous assistent sur le chemin de vos retrouvailles avec vous-même. Ne voyez pas là un jeu de langage dont j'abuse. Mon intention est de vous faire comprendre que, d'ici peu, vos consciences, vont être touchées par d'autres consciences et que cet évènement fait aussi partie de votre réveil. Il fait partie intégrante de la vision nouvelle que le Wésak préfigure désormais en chacun par l'éclatement de toute barrière. La société terrestre a actuellement un besoin urgent d'être transfusée... et elle va l'être, de l'intérieur et de l'extérieur... si tant est que ces deux termes signifient quelque chose. Que l'on cesse donc dans certains milieux, qui se disent spiritualistes de développer des sourires narquois lorsqu'une telle question est évoquée ! Nos racines sont partout dans l'univers, de la même façon que la conscience de chacun d'entre nous a la capacité d'être omniprésente dans cet univers. L'intérieur et l'extérieur, voyez-vous, sont un leurre... alors, cessons de les séparer. Le Divin parle par tous les pores de son corps !

Ainsi donc, mes amis, puisque mon parti est d'être clair, attendez-vous à de proches retrouvailles avec non pas des extraterrestres, mais avec certains de vos grands frères. Ce sera beau... Cependant ne soupirez pas de soulagement car ces êtres ne viendront pas résoudre votre conflit avec vous-même. Si telle était leur intention, pourquoi ne l'auraient-ils pas fait depuis des millénaires qu'ils vous observent ? Ils se présenteront comme un rappel de ce que vous êtes réellement au-delà de votre jungle présente. Ils n'auront pas plus que moi, ni que mes frères de ces montagnes de bannières à vous imposer ou des pilules à vous administrer. Ils viendront vous placer une certaine truelle et un certain marteau entre les mains afin de raviver votre mémoire et de vous aider à vous rebâtir. Ils vous apprendront à rire de la tourmente que vous avez fabriquée de toute pièce.

Ecoutez-moi bien lorsque je dis qu'ils ne seront pas des missionnaires venus d'un autre monde ni des sauveurs cherchant à planter sur Terre leur drapeau d'amour personnel. Leur tâche sera de vous aider, à leur façon, à désensabler votre propre bannière d'amour et de paix... car ils ne veulent rien vous apporter d'autre que la promesse de votre richesse. Puisque votre cœur n'en peut plus d'être en jachère voici donc venu le temps qu'ils ont choisi pour réapparaître.

Munis de ces quelques images d'un futur tellement présent, avez-vous maintenant compris à quel point je vous invite à réagir contre l'actuel ordre des choses ? Une fois de plus, ne craignons pas les mots. Vous qui m'écoutez avec vos différences, avec vos arcs-en-ciel latents, vous représentez tous des germes de métamorphose... dans votre couple, dans votre milieu, dans votre pays. C'est de votre clarté de vision, de votre union de cœur, de votre lâcher-prise mais néanmoins de votre volonté que peut jaillir au grand jour une formidable réaction contre l'asservissement à la médiocrité et au malheur. Cessez enfin de vous tourner le dos et n'ayez pas peur de clamer que vous sortez du troupeau des endormis !

La Force qui me pousse à vous livrer ces paroles vous fait savoir très clairement que le peuple de la Terre, dans son intégralité, s'est laissé endoctriner depuis des millénaires par des énergies d'asservissement savamment orchestrées. Oui, il me faut vous le déclarer ainsi, abruptement : vous êtes tous endoctrinés, persuadés de votre incapacité à modifier le poids d'une certaine matière, persuadés que vous pensez par vous-mêmes, persuadés que la vie est un combat, persuadés que l'amour est un leurre, la force des faibles.

Oh, je sais fort bien qu'il en est parmi vous, une foule d'entre vous devrais-je dire, qui se lèvent déjà pour déclarer : « Non, moi je ne suis pas l'objet de cet aveuglement, moi je suis conscient de tout cela depuis longtemps. »

Le problème, voyez-vous, est que ce type de déclaration provient toujours de la zone trouble du « moi-je » ! Vous êtes innombrables les « moi-je-sais » qui tombez néanmoins quotidiennement dans les mêmes pièges que les autres. Je ne vous accuse pas, je veux seulement que vous brisiez votre coquille au-delà des idées que vous développez et dont vous vous enorgueillez souvent.

Le Wésak et son flot de réformes ne se fêtent pas dans les neurones, mais au cœur du Cœur. C'est là, dans ce joyau qui n'existe pas seulement dans les livres, que je vous attends. Oui, je vous le répète encore, c'est parce que l'intoxication est globale que l'infection est généralisée, mais certainement pas irréversible, et que vous découvrez ces mots.

Le clair regard de la confiance, de l'espoir et de la volonté doit sans attendre, déprogrammer de vous toute notion de fatalité, de néant, de médiocrité. La hiérarchie de l'Ombre à laquelle j'ai déjà fait allusion orchestre le jeu terrestre par toutes les ambassades que vous mettez à sa disposition à l'intérieur de votre être à chaque fois que vous n'aimez pas d'amour votre propre essence.

Je vous demande donc, mes amis, d'honorer votre Source intérieure de toutes les façons possibles. Voici ce que je vous propose afin de déstabiliser un peu plus les manipulateurs d'âmes auxquels vous avez trop longtemps laissé le champ libre.

Choisissez quelque chose, un objet, un élément emprunté à la nature, une photo même qui, pour vous, évoque la sérénité, la Source Divine. Non pas comme une puissance extérieure à vous, mais au contraire totalement intérieure. Quelque chose dont vous aimeriez intégrer l'idéal, la lumière, la force ou la subtilité. Quelque chose, comprenez-moi bien, qui ne soit pas à adorer, mais simplement à respecter, à aimer.

Votre choix ne demande pas de réflexion, mais l'élan du regard unique, c'est-à-dire de la spontanéité unie à de la joie mêlée d'amour... sans arrière-pensée ni idée préconçue. Ce pourra-t-être, pourquoi pas, un joli galet poli par les eaux ou par n'importe quoi d'autre dont la présence, la matière ou le symbole vous touche.

Vous placerez alors cet objet dans un coin discret de votre demeure et, chaque jour, vous irez faire un présent à ce qu'il représente pour vous, en vous. Ce sera par exemple une fleur ou un simple pétale, quelque gouttes d'eau, un grain de riz...

Vous me direz : « C'est banalement la création et l'entretien d'un autel ! » Eh bien non, mes amis, ce n'est pas dans ce sens que je vous suggère d'accomplir cet acte.: Car j'insiste sur le fait que ce n'est pas votre adoration qui est requise pour cette pratique. Il ne s'agit pas de vous inventer votre petite divinité personnelle. Le but n'est pas de recréer des schémas ancestraux qui ont eu leur utilité en un temps

Dites-vous seulement que ce symbole pour lequel vous allez avoir, c'est le but de l'offrande, une pensée quotidienne, représente une force de lumière qui vit déjà en vous, une force qui ne demande qu'à croître, et qui va croître à mesure du respect que vous allez lui accorder. Par cette disposition de l'âme, par les gestes que vous allez imprimer dans votre physique, l'objet ne sera plus tout à fait un objet, il se fera germe dans votre cœur, il se fera port d'attache, point d'ancrage en cas de tempête. Il se métamorphosera enfin en tant que rappel vivant de votre potentialité et de votre promesse de Réconciliation. Vous en ferez ainsi un point relais du Wésak dans votre demeure physique puis subtile.

Ce sera une façon de plus de vous dégager d'un certain « ordre du monde » auquel un courant descendant tente de vous ligoter. C'est dans la joie de l'Un que s'illumine déjà votre ultime porte de sortie, pas ailleurs.

Maintenant, dites-vous bien ceci : vous vous mentez et l'on vous ment ; vous vous aveuglez et l'on cherche à profiter de votre cécité, vous n'avez pas le courage d'écouter votre cœur, alors on joue sur votre paresse; vous vous modelez un profil d'esclave, alors enfin il en est pour vous préparer une logique totalitaire à laquelle vous applaudirez si vous n'y prenez garde.

L'esclave qui n'a pas conscience d'en être un, s'endort toujours pour bien longtemps ! Est-ce cet état de fait que vous recherchez ?

Ainsi, mes amis, mes frères en Wésak, tout en détissant en vous le canevas du non-amour et de la non-reconnaissance de votre noblesse première, il vous faut détricoter la trame de vos sociétés, sans passion, sans violence, mais avec détermination. Pourquoi ne pas renaître, enfin, en tant qu'actionnaires de votre vie ? Par ces mots, je vous appelle ici à devenir, de façon incarnée et volontaire, des générateurs de Soleil !

Chapitre VII

La folie sacrée

Quelque part, sur la paroi de la grotte qui nous accueille, un délicat filet d'eau ruisselle en silence. Nous venons seulement de l'apercevoir, captivés par le jeu changeant de la lumière sur la roche... Les minutes s'égrènent, centrées sur les paroles entendues. Puis soudain, une pensée bien prosaïque fait irruption en l'un de nous, traduisant peut-être notre souci de ramener à la terre dense le Feu de l'enseignement reçu.

« Depuis combien de temps sommes-nous là, assis dans le corps de notre conscience ? Trois heures, cinq heures ? »

Tout prend une importance tellement différente dès que l'âme consent à se faire réceptacle. S'en soucie-t-il d'ailleurs lui, l'être à l'abondante chevelure et au regard de braise ?

Son corps qui n'a toujours pas bougé d'un millimètre paraît sans cesse se déplacer en énergie autour de nous, tantôt nous enveloppant de tendresse, tantôt nous secouant ou suscitant de fulgurantes clartés intérieures.

Depuis longtemps déjà, nous ne cherchons plus à percevoir son visage. Son champ de force nous entraîne par vagues successives si loin de sa simple présence humaine... Parfois, à travers lui, à travers les montagnes dont il semble traduire le cœur virginal, c'est la Terre entière que nous croyons apercevoir. Elle est là, suspendue dans le « plein cosmique », inspirant et expirant comme un joyau qui attend l'instant précis pour faire éclater sa gangue. Elle nous apparaît alors dans sa globalité, non seulement tel un corps contraint de bientôt se redéfinir, mais telle une conscience, ou un merveilleux regard qui plonge en nous puis interroge :

« Et maintenant, que vas-tu faire, toi ? Vas-tu encore te contenter d'exister ainsi qu'autrefois ? »

Nous sentons qu'il n'y a rien à répondre par le biais des mots car ce qui nous est demandé à tous, c'est d'accoucher de nous-mêmes, rien d'autre !

Une sorte de secousse intérieure nous fait à nouveau rechercher le regard de celui qui nous enseigne. En une fraction de seconde, quelque chose y a encore changé... Peut-être un éclair de malice ou même de jeu ?

Et en vérité, pour la seconde fois, ce n'est plus tout à fait la même présence qui nous observe et s'amuse de notre surprise. Elle a ôté un voile qui, sans que nous le sachions, nous séparait encore d'elle, de son essence... un voile qui paraît nous adjurer de nous dépouiller un peu plus de nos écailles.

Insensiblement, l'être longiligne et d'âge mûr a laissé la place à un tout jeune homme, presque un adolescent. Seule l'identité de ce qui en nous, nous scrute, demeure identique.

Nous ne saurions en douter, derrière la silhouette désormais si fine qu'elle semble aérienne, il y a toujours le même soleil, la même détermination, le même flambeau levé si haut dans le Ciel !

Pourquoi donc encore une telle métamorphose si ce n'est pour nous mener plus près de sa source, c'est-à-dire plus près de la nôtre également ? La maturation de l'âme ne signifie-t-elle pas son rajeunissement ? Ainsi, accomplir le pas décisif vers soi revient-il à opérer un mouvement de retour vers nos rives premières, à débarrasser notre être de ses fausses rides ?

A l'écoute de notre monologue intérieur, la si jeune ou si vieille présence se met à rire ainsi qu'elle l'avait déjà fait auparavant. Nous ignorons si quelque chose en nous se joint à ce rire. Il se produit en nos cœurs une ouverture tellement forte... une sorte de gouffre de lumière d'où jaillit une si puissante montagne, un tel soleil de paix !

Oui, rajeunir, voilà notre inéluctable destin. Voilà le sommet auquel tout notre être aspire, le point de résolution de toutes nos errances, de nos détours, la raison de toutes les potions que l'âme cherche à s'administrer. Rajeunir pour mieux se ressembler, rajeunir pour savoir qui nous sommes en ce lieu de Vie où l'Alpha épouse l'Oméga.

Soudain, alors que tant de cartes brouillées s'éclairent, le rire de l'être vient à cesser... laissant place à une douce chaleur. Alors, un nom nous vient, comme une fleur qui s'épanouirait au centre de notre conscience... puis s'enfuit, s'enfuit, emporté par un fleuve qui à nouveau se déverse...

« Où allez-vous, mes amis ? Sauriez-vous me répondre sans balbutier, sans réfléchir, sans vous retourner ? Je veux seulement vous apprendre à formuler la réponse en un mot, à unir en une étincelle votre Orient et votre Occident, c'est-à-dire, à ne plus osciller entre ce qui est vous et votre reflet. Pour cela, je vous emmène gravir une montagne sacrée, la vôtre, celle qui surplombe votre camp de base, là où vous avez planté votre propre mât de Wésak. Vous allez en haut de vous-même, là où vous cessez de vous dévorer, là où toutes les facettes de la Terre et du Ciel qui vivent en vous, vous restituent votre véritable visage.

Pour escalader ce versant encore inconnu de votre être, il vous faut avant tout découvrir la signification puis toutes les implications d'un mot clé : la Reconnaissance...

Je veux dire qu'il faut que vous vous reconnaissiez. Non pas simplement en tant qu'individu porteur d'une étincelle divine – ce dont nous avons déjà beaucoup discouru – mais en tant qu'instrument de réforme. En effet, vous redécouvrir tels qu'en vous-même, résoudre vos conflits intérieurs, en bref vous réconcilier avec votre essence, tout cela peut encore se résumer à quelques notions abstraites si vous n'extériorisez pas la joie de votre cheminement vers la pacification.

Comprenez que l'Eveil qui ne génère pas d'autres éveils ne saurait être total. Pouvez-vous imaginer une goutte d'eau qui ne mouillerait pas ? Voilà pourtant ce à quoi vous ressembleriez. Ainsi, la joie de la découverte de tout ce qui, sur votre route, vous ramène à votre demeure doit s'écouler par chacun de vos pores. C'est elle qui fait de vous, à votre niveau, là où vous êtes, un instrument de métamorphose. Encore faut-il, mes amis, laisser percer cette joie et accepter pleinement d'être instrument. Tant de couvertures sociales, tant de pudeurs sont à balayer auparavant !

« Montrer sa joie de découvrir la Lumière en soi et en l'autre ! Cela « se fait-il ? » Que va-t-on penser si l'on s'aperçoit, non pas tellement de ce que « je crois », mais de ce que j'expérimente, de ce que je vis de plus en plus pleinement ? »

Voyez-vous où se situe le pas supplémentaire à accomplir ? Il faut enfin oser être. Loin de moi l'idée de vous engager sur la voie du prosélytisme. Cette notion est contraire à toute expansion harmonieuse de la Lumière. Elle n'illustre qu'un autre type de rapport de force. Non, je vous parle d'une attitude de l'Esprit, qui embaume naturellement tout ce qu'il approche. Ce type de joie est le fruit d'un lâcher-prise, en d'autres termes d'un abandon du désir de paraître autre chose que la respiration de son propre cœur. La notion d'instrument, au sens noble de ce terme, naît spontanément de la mise en pratique d'un tel principe. Votre épanouissement passe par un abandon sacré qui fait de votre vie un service total à *tout ce qu'il y a de plus beau* et que vous ne pouvez véritablement nom mer sans Lui imposer des limites qu'Il n'a pas.

Je sais les réticences de l'ego : « Quelle gloire y-a-t-il à être instrument ? L'instrument n'est ni l'œuvre d'art ni son concepteur... »

A de telles objections, je réponds ceci : il est temps de faire taire un pareil verbiage. La réthorique est le piège de ceux qui ont le temps d'observer les connections de leurs neurones. Encore une fois, ne vous concevez plus dans la notion de séparativité. Il n'y a jamais eu la Divinité puis les serviteurs de celle-ci, avec pour seule fonction celle de la louer et donc de la faire croître. Il y a la Divinité en vous et vous en la Divinité. Tous deux unis dans la conscience de l'Un, vous représentez la Vie. C'est en cela que le Service constitue l'essence de ceux qui ont commencé à se re-connaître. Ils n'honorent pas une force, ils sont cette force.

Quant à la pudeur – j'entends par là cette réserve de l'âme retenant les parfums de l'Esprit qui l'habite – elle constitue un autre mur à effriter. Elle tisse sa toile à partir d'une peur de se voir jugé, c'est-à-dire de ne pas vouloir paraître tel qu'en soi-même. Elle n'a donc plus lieu d'être dès que le sens de la noblesse est retrouvé. La noblesse dont il est ici question est le fruit de la conscience juste de l'action à accomplir alignée sur la conscience juste de la Source.

Elle éclôt, voyez-vous, à l'issue d'un centrage de l'être qui a retrouvé la limpidité de sa trajectoire.

Vous reconnaître et vous accepter en tant qu'instrument de réforme fait aussi partie des buts de votre présente incarnation. C'est pourquoi l'énergie que vient renouveler le Wésak demande votre implication totale et quotidienne dans l'actuelle œuvre de transmutation qui se produit autour de vous et en vous.

L'implication totale ne signifie pas l'action forcenée car ce n'est pas par la multiplication des actions que vous vous trouverez. Il vous est avant tout demandé des prises de position claires, simples et fermes, des prises de position et des attitudes dans lesquelles toute notion de captation de pouvoir personnel est exclue. Agir de cette façon-là, c'est d'abord faire pourrir en soi les miasmes des anciens réflexes d'auto-annihilation ou de domination. C'est se préparer à semer rapidement et avec générosité autour de soi.

Evidemment, me direz-vous, « tout cela c'est un peu mourir... » Pourquoi « un peu » ? Ne craignons pas de le déclarer : c'est mourir totalement, complètement. Mourir à un ancien mode de raisonnement qui vous a suffisamment minés les uns et les autres.

Lorsque parfois il m'arrive de contempler l'état global de ce monde, je me dis que cela tient du prodige qu'il se trouve encore des membres de la grande famille humaine pour entretenir et défendre l'ordre présent ! En aucun cas, la Mort Initiatique que vous allez vivre – je dis bien vivre – ne doit prendre l'aspect d'un combat contre ces membres de la famille. En vous levant au dedans de vous-même, vous ne luttez pas contre les hommes, vous cessez simplement de donner prise à certaines idées, à certaines pulsions qui, parce qu'elles se sont nourries de vous jusqu'alors, s'éteindront d'elles-mêmes.

Le sens de la Réconciliation avec soi, passant par l'acceptation d'une certaine mort, vous amènera tranquillement à faire dérailler vos Gouvernements hors de leur système de logique. C'est le sort inéluctable de ceux-ci. Dès lors que le gouvernement intérieur d'un nombre croissant d'êtres change de références, comment les Gouvernements sociaux et politiques y résisteraient-ils ? Vous devez vous en réjouir et prendre conscience que c'est de la qualité de votre paix intérieure que dépend plus que jamais la courbe du virage que cette humanité doit prendre.

Il vous faut trouver votre point d'équilibre au cœur même du déséquilibre. Redéfinir le monde en vous, l'aimer en vous, afin d'en extraire les parasitages, n'est-ce pas une belle tâche qui vous incombe ici ? Cela demande un peu de folie, certes, pour se lancer dans un tel programme ! Je vous l'accorde aisément... Mais il est bien évident que mes paroles ne toucheront que ceux d'entre vous qui sont atteints d'une sorte de folie sacrée, la folie des Reconstructeurs. Les Reconstructeurs sont tous ceux qui, de par le monde, ont déjà, par leur simple présence ou leur action, commencé à tisser un gigantesque réseau souterrain par lequel un souffle nouveau va être offert à l'humanité. Un tel réseau se situe au-delà de toute organisation et vous en faites partie dès lors que quelque chose commence à sourdre en vous et qui est pulsé par une volonté d'aimer.. même si cela vous paraît encore flou et bien imparfait.

Un tel réseau, mes amis, est inébranlable parce qu'il part d'un état d'urgence ressenti par les fondements de votre monde. Il part d'une nécessité vitale qui échappe totalement aux maîtres à délirer de vos Gouvernements. Il est le ferment d'un prodigieux raz de marée que vous pouvez d'ores et déjà vous apprêter à vivre et à mettre en place dans vos esprits.

Ne craignez donc pas d'être un peu fous en débridant votre cœur, votre espoir, votre joie. Par votre rayonnement, il vous faut clamer à la face des totalitarismes de tous bords que les cartes du jeu sont désormais en train de changer parce que vous avez commencé à vous retrouver. Les frères du Wésak et de Shangri-La vous le demandent solennellement. Ils ne sont pas une force fondamentalement extérieure à vous mais la partie lumineuse de votre être qui palpite en votre poitrine. Tarboche[1] est un défi pacifique qui rayonne au sommet du crâne de tous les Reconstructeurs.

Il sonne le glas en vous et hors de vous de toutes les Eglises partisanes, c'est-à-dire de tous les fers que l'on voudrait river aux consciences et aux corps.

Le mât du Wésak se situe dorénavant pour la Terre entière au-delà des Eglises et des Croyances ; il est le joyau auquel tout homme peut prétendre au bout de ses pérégrinations, c'est-à-dire le symbole de ce qu'il y a de plus pur en lui, son héritage absolu.

Implantez maintenant sa présence en vous car il est une fontaine cristalline sous laquelle vous vous lavez des poussières de l'oubli !

---

1 : Voir note page 19.

En lui, c'est-à-dire en l'axe de votre dignité retrouvée, se résolvent ainsi tous les fanatismes et tous les doutes venus se greffer sur votre réalité première.

Ce n'est pas une nouvelle doctrine, comprenez-moi, que je suis venu prêcher face à vous dans cette grotte. Il n'y a pas de doctrine du Wésak. Il n'y a pas de doctrine qui fasse que l'homme devienne tout simplement humain puis véritablement Homme. Le prêche et la doctrine quels qu'ils soient relèvent toujours du gavage des oies, ils dispensent des brumes.

De tout ce que je vous ai offert par mes paroles et ma présence, ne retenez que trois mots si cela vous aide à mieux respirer : Amour, Paix et Retrouvailles.

En eux, je vous l'affirme, réside toute ma connaissance. Si vous attendiez d'autres révélations, il vous reste la liberté de cheminer encore un peu avec votre havresac. Cela aussi, ce choix, fait partie de votre noblesse, ne l'oubliez pas... car aucun livre, aucun Maître de Sagesse n'a le pouvoir de vous soulager de vos fardeaux. C'est vous et vous seul qui posez vos bagages le jour où vous commencez à ouvrir l'Oreille et l'Œil.

Le but, voyez-vous, n'est pas d'apprendre de nouveaux rituels ni un nouveau credo pour l'ère qui s'ouvre, le but n'est pas non plus d'intrôniser tel Etre de Lumière au sommet d'une nouvelle hiérarchie spirituelle. Les credos et les trônes ont toujours une fâcheuse tendance à se pétrifier puis à tout figer autour d'eux. Le but, c'est le chemin qui mène de vous à vous, c'est de vous retrouver. Point final ? Certainement pas ! Point de Commencement... point d'Infini ! »

Tandis qu'il prononce ces mots avec une force qui nous atteind de plein fouet, l'être se lève d'un bond, montrant une agilité toute féline. Il est là maintenant, debout face à nous qui nous sommes également levés. Il est là, telle une immense flamme qui crépite et diffuse sa généreuse puissance. Une nouvelle fois alors, un nom fait irruption dans notre conscience, un nom comme une vague qui déferle sur nos plages intérieures, *son* nom : Babaji.

Dans le creuset de notre âme reliée à mille autres dans l'océan sans fond, c'est désormais le silence et la chaleur d'un amour contagieux qui peuvent œuvrer...

Au-delà de son visage d'adolescent qui s'imprime en nous, Babaji sourit pour toujours. Il nous sourit à la façon d'un enfant et d'un vieillard sans âge, insondable sphinx...

« Je voulais vous confier quelque chose de plus, dit-il avec douceur, mais non... Le reste de votre histoire, le plus beau, c'est vous tous qui devez l'écrire ! »

DEJA PARUS AUX EDTIONS AMRITA

de Anne & Daniel Meurois-Givaudan

Récits d'un Voyageur de l'Astral
Terre d'Emeraude, *Témoignage d'outre-corps*
Le Voyage à Shambhalla, *Un pélerinage vers Soi*
Les Robes de Lumière, *Lecture d'aura et soins par l'Esprit*
De Mémoire d'Essénien, *l'autre visage de Jésus - tome 1*
Chemins de ce Temps-là, *De mémoire d'Essénien - tome 2*
Par l'Esprit du Soleil
Les Neuf Marches, *Histoire de naître et de renaître*
Sereine Lumière, *Florilège de pensées pour le temps présent*
Wésak, *l'heure de la réconciliation*

de Michel Coquet

Israël, *terre sacrée d'initiation*
Le Maître Tibétain - Djwal Khool, *sa vie, son œuvre*

de Jean-Charles Fabre

Maison entre Terre et Ciel

de Christine Dequerlor

Les Oiseaux Messagers Cosmiques

d'Yvonne Caroutch

Giordano Bruno, *le volcan de Venise*

de Dee Brown

Enterre mon Cœur

de Serge Reiver

D'Etoile en Etoile

de Geneviève Segers-Salvatge

Le Guide du Rêveur

de Goswami Kriyananda

La Science Spirituelle du Kriya Yoga
Guide pratique de méditation

de Vicente Beltran Anglada

Rencontre avec l'Agni Yoga

de Mary Lutyens
Krishnamurti, *Les Années d'Accomplissement*
Krishnamurti, *La Porte Ouverte*

de Jean Prieur
La Mémoire des Choses, *l'art de la Psychométrie*

de Johfra
Astrologie, *les signes du zodiaque*

de Ellen Lórien , Johfra et Carjan
Elfes, Fées et Gnomes

de Luis Miguel Martinez Otero
Fulcanelli, *une biographie impossible*

de Robert Frédérick
L'Intelligence des Plantes

de Meir Schneider
Histoire d'une Autoguérison,
Expérience et méthode de revitalisation

de J. Bernard Hutton
Il nous Guérit avec ses Mains

d'Ayocuan
La Femme Endormie doit Enfanter

de Jean-Pierre Morin & Jaime Cobreros
Le Chemin Initiatique de Saint Jacques

de Swami Sivananda Radha – Sylvia Hellman
Radha, *journal d'une quête spirituelle*

de George Hunt Williamson
Les Gîtes Secrets du Lion

de Peggy Mason & Ron Laing
Sathya Sai Baba, *L'incarnation de l'amour*

de Anya Foos Graber
La Porte Oubliée,
Une alternative intelligente aux derniers moments de la vie

de Ferdinand Ossendowski
Bêtes, Hommes et Dieux

de Max Guilmot
Les Initiés et les Rites Initiatiques en Egypte Ancienne

de Johannes von Buttlar
La Déchirure du Temps

de Edward Carpenter
Une Maladie nommée Civilisation, *sa cause et son remède*

Pèlerin de Paix

de Joseph Stroberg
Urane, *l'éducation et les lois cosmiques*

de Sathya Sai Baba
108 paroles de Sathya Sai Baba,
Coffret de 108 cartes pour répondre au quotidien

de l'Atelier Orawen
Présence en Secret,
Prières, louanges et invocations du monde entier

de Alberte Moulin
Libère ton Soleil

de Gary Kinder
Les Années Lumière, *une troublante enquête sur les contacts extraterrestres d'Eduard Meier*

de Aster F. Barnwell
Le Chemin des Cimes,
Un itinéraire quotidien vers l'illumination

de Joël Jeune
La Planète des Fleurs

de Yannick David
Une Maison pour mieux Vivre

de Kenneth Meadows
Médecine de la Terre

de Giancarlo Tarozzi
Reiki, *énergie et guérison*

de Cayetano Arroyo de Flores
Dialogues avec Abul-Beka

de François Roussel
Les Contes de Fées, *lecture initiatique*

de Jean-Yves Pahin
Le Baptême d'Esprit, *souvenirs Cathares*

du Dr Guy Londechamp
L'homme Vibratoire, *vers une médecine globale*

de Mary Lutyens
Vie et Mort de Krishnamurti

de Shirley Price
Aromathérapie, *guide pratique*

de Catherine Deblaye
Qui sont-ils ?, *mystificateurs ou messagers ?*

Achevé d'imprimer en juillet 1993
sur presse CAMERON,
dans les ateliers de la S.E.P.C.
à Saint-Amand-Montrond (Cher)

— N° d'imp. 1806 —
Dépôt légal : juillet 1993.

Imprimé en France